Cleofas Uchôa

HOMO SAPIENS SAPIENS

O DESAPARECIMENTO

INSANIDADE, INSTABILIDADE E INSUSTENTABILIDADE

O QUE VIRÁ DEPOIS?

RIO DE JANEIRO, RJ - 2019

Vermelho Marinho

Copyright© 2019 Cleofas Uchôa

Editor-chefe:
Tomaz Adour

Preparação de texto:
Sylvio Gonçalves

Revisão:
Sylvio Gonçalves
Bruno Matangrano
Leonardo de Barros
Heidi Gisele Borges

Consultoria de escrita:
Rose Lira

Diagramação e Capa:
Marcelo Amado

Texto revisado segundo o novo
Acordo Ortográfico da Língua Portuguesa.

Uchôa, Cleofas
  Homo Sapiens Sapiens: o desaparecimento / Cleofas Uchôa
  Rio de Janeiro: Vermelho Marinho, 2019.
  244 p. 14 x 21cm
  ISBN: 978-85-8265-246-6
  1. Astronomia. 2. Cosmo. 3. Universo I. Título

CDD 520

VERMELHO MARINHO
EDITORA VERMELHO MARINHO USINA DE LETRAS LTDA
Rio de Janeiro – Departamento Editorial:
Avenida Gilka Machado, 315 – bloco 2 – casa 6
Recreio dos Bandeirantes – Rio de Janeiro – RJ
CEP: 22795-570
www.editoravermelhomarinho.com.br

DEDICATÓRIA

A todos os nossos ancestrais diretos desde 70 mil anos atrás, que abriram, aos trancos e barrancos, pelo "Acaso e Necessidade", o caminho da nossa afortunada espécie com o "Salto Adiante" para a consolidação de nosso atual nível de desenvolvimento de Inteligência, Autoconsciência e Espiritualidade.

E a todos os nossos descendentes que continuarão essa jornada em direção a um novo "Salto Adiante", para uma nova "Metamorfose", próxima etapa evolutiva da nossa quase insustentável estrutura biológica. A "Metamorfose" que se aproxima permitirá que a autoconsciência que brotou neste pálido ponto azul enfim realize o Êxodo da Terra antes da inevitável sexta extinção em massa que se aproxima a passos largos. Nossos futuros descendentes híbridos e, em seguida, talvez inorgânicos, muito provavelmente com inovadora e exótica estrutura mental, com softwares e hardwares hiperinteligentes, hiperautoconscientes e interconectados, e num integrado fluxo de processamento de informações, serão os novos senhores de nossa Galáxia, como já fomos os senhores da Terra, segundo conta a bela narrativa arcaica do Gênesis.

O *Homo sapiens sapiens* está se preparando para deixar o apogeu da evolução, e a ele agradecemos pelo empenho que fará para concretizar a Metamorfose.

E aos "passageiros involuntários dessa misteriosa e fascinante viagem sem volta – a vida." (Frei Beto)

ESTE ENSAIO ABORDA OS TEMAS DA INSENSATEZ E DA INSUSTENTABILIDADE DO HOMO SAPIENS NESTE PLANETA, APESAR DE SEUS APARENTES MOMENTOS SUBLIMES DE LUCIDEZ.

NOSSA EXPECTATIVA É A SUBSTITUIÇÃO DO *HOMO SAPIENS SAPIENS* POR ESTRUTURA MISTA OU PURAMENTE INORGÂNICA, SUPERINTELIGENTE E AUTOCONSCIENTE, ANTES DA PRÓXIMA EXTINÇÃO EM MASSA DAS ESTRUTURAS BIOLÓGICAS DO NOSSO PLANETA, QUE RAPIDAMENTE SE APROXIMA.

SABEMOS BEM QUE AS ESTRUTURAS BIOLÓGICAS QUE BROTARAM RECENTEMENTE NESTE PLANETA POSSUEM SEVERAS LIMITAÇÕES DIANTE DO TEMPO GEOLÓGICO, COM INSTABILIDADE E INSUSTENTABILIDADE, SENDO AINDA ESTRUTURAMENTE INCAPAZES DE SE EXPANDIR PARA O ESPAÇO CÓSMICO, QUE LHES É ABSOLUTAMENTE HOSTIL.

AGRADECIMENTOS

A todos que comigo compartilharam e compartilham dessa exuberante navegação da Inteligência e Autoconsciência na nave Terra, este pálido Ponto Azul, particularmente à dedicada e eficiente tripulante quântica Maria Georgina.

O autor

"Se esta geração não tiver uma visão abrangente do cosmo, o futuro da vida será decidido aleatoriamente."

Yoval Noah Harari

SUMÁRIO

"Sou um descrente profundamente religioso" (Albert Einstein)

PREFÁCIO 15
PRÓLOGO 21
INTRODUÇÃO 35

PARTE I – ESCALAS E AS ABSTRAÇÕES
   CAPÍTULO 1 – ESCALAS 57
   CAPÍTULO 2 – ABSTRAÇÕES 65
      TEMPO 65
      ESPAÇO 70
      OUTRAS DIMENSÕES 72
      MAL-AGRADECIDOS E PECADORES 78

PARTE II – INSANIDADE
   CAPÍTULO 3 – SAÍDA DA INSANIDADE 87
      MITOS E CRENÇAS 87
      MITOS E RELIGIÕES 92
      DEUSES 97
      CIÊNCIA 104
      CONSTANTES CÓSMICAS 109

   CAPÍTULO 4 – ESPÉCIE PERDIDA 113
      EXTINÇÕES 113
         1. EM NÍVEL INDIVIDUAL – A MORTE 114
         2. EM NÍVEL CULTURAL – COLAPSOS 118
         3. EM NÍVEL GLOBAL – DIZIMAÇÕES E EXTINÇÕES 120
      O GENE DA LOUCURA 130
      FIM DO ANTROPOCENO: INÍCIO DO ÊXODO 132
      ABANDONAR O NAVIO 136

CAPÍTULO 5 – RECONFIGURANDO A ESPÉCIE 139
SOFTWARE DE APLICAÇÃO 139
HERESIAS 142
CURRICULUM VITAE – SAPIENS SAPIENS 143
SOMOS COMO OS CAVALOS 146
NOSSAS POTENCIALIDADES 147
O CISNE NEGRO 148
EPIFANIA 151

CAPÍTULO 6 – A ESPERANÇA DO ADMIRÁVEL MUNDO NOVO 159
NÃO SOMOS MAIS OS VALENTÕES 160
CONSCIÊNCIA 162
O INORGÂNICO 166
INTELIGÊNCIA COM CONSCIÊNCIA 173
O DESACOPLAMENTO DA CONSCIÊNCIA DA TERRA 176
TCHAU, TCHAU, TERRA 180

EPÍLOGO – O QUE VIRÁ DEPOIS? 185
A SELEÇÃO NATURAL E VOLITIVA 188
A PAZ E A REVOLUÇÃO COGNITIVA 191
A EDUCAÇÃO SISTÊMICA DA VIDA E O SALTO PARA ESPIRITUALIDADE 196
O ÊXODO INORGÂNICO COM NOVO DEUS 200

APÊNDICE – O BEBEZÃO 205
I - RENOVAÇÃO GENÉTICA, UMA ALTERNATIVA TEMPORÁRIA À EXTINÇÃO 207
II - HOMEM, PRIMATA RETARDADO 217
III - A SALVAÇÃO 225

REFERÊNCIAS 237
APRESENTAÇÃO DO AUTOR 247

PREFÁCIO

CLEOFAS UCHÔA
APONTA PARA OUTRAS ESTRELAS

Para que serve um prefácio, amigos leitores? Amigos? Sim, amigos. Autores, leitores e editores são o povo do livro, universo aonde chegam interessados nas mesmas coisas, mudando apenas a viagem feita até que cada um chegasse aqui.

Neste vasto mar, os leitores são nautas solitários, tão sozinhos quanto aquelas naves espaciais cujo trajeto o autor deste livro acompanha com redobrado interesse a cada dia, sem jamais confundi-las com as estrelas.

Vocês acabaram de chegar ao planeta Cleofas Uchôa. O que há sob um nome? Cleofas veio do Grego e quer dizer repleto de glórias. Uchôa é variante de Ochoa, veio do Basco *Otxoa* e quer dizer lobo. Este sobrenome chegou a Portugal ainda quando os condados travavam guerras terríveis em seu próprio território para formar o Estado português.

O *Homo Sapiens Sapiens*, generosa e imodesta definição que o homem deu a si mesmo, feroz como um lobo e audaz como todo guerreiro, nunca soube e talvez jamais saiba o que vem depois, mas sempre imaginou e fez conjecturas. Afinal, sem imaginação nada se faz.

Mas depois, quando? Uai, diria o mineiro, depois de agora. Ou, já que usamos tantas palavras em latim quando queremos exatidão ou solenidade, *post hic et nunc*, depois de aqui e agora, pois não sabemos onde estaremos nem se seremos. Mas, pelo menos já sabemos onde estamos. Nem sempre soubemos. Ou ainda, como diz o Inglês, o Latim do império atual, *the future*, o futuro.

Atribuindo vida eterna àquela parte de si que ele denominou alma, com o fim de obter algum consolo, ainda que ilusório, o *homo sapiens sapiens* quer viajar no tempo e no espaço.

Viaja sem destino e às vezes se perde pelo caminho.

Este livro de Cleofas Uchôa é astrolábio e bússola ao mesmo tempo. Não foi à toa que os primeiros satélites lançados ao cosmo pelos pioneiros russos foram designados *Sputnik*, companhia de viagem. Uma boa mudança ainda no nome: satélite veio do Latim *satelles* e designou originalmente a guarda do príncipe.

Fiquemos com este ponto em comum entre os engenhos espaciais e os livros, a companhia. O livro de Cleofas Uchôa é uma boa companhia para todos nós.

DEONÍSIO DA SILVA
Editor do Instituto da Palavra
Professor titular visitante da Universidade Estácio de Sá

PRÓLOGO

SINTOMAS DA PERDA DE CONTROLE DO CRIATIVO, CONFLITUOSO E INDOMESTICÁVEL *SAPIENS SAPIENS*.

> *"O problema que trava tudo até o momento é o fato de o Homo Sapiens ser uma espécie inatamente defeituosa. (...) Somos viciados no conflito tribal, que é inofensivo e divertido se sublimado em esportes, mas mortal se expresso em conflitos étnicos, religiosos e ideológicos. (...) Paralisados no nosso ensimesmamento para proteger o restante da vida, continuamos a devastar o meio ambiente natural, a herança insubstituível e mais preciosa de nossa espécie"*
> *(O Sentido da Existência Humana – Edward O. Wilson)*

A pesar das excepcionais características da estrutura mental e criativa do *Homo sapiens sapiens* espécie essencialmente mestiça e detentora da estrutura mais complexa que conhecemos no Universo, começamos a vislumbrar e a perceber atávicos sintomas de sua Insanidade. Vale frisar que a conduta violenta e conflituosa sempre foi característica do *Homo sapiens sapiens*, desde a criação de suas primeiras aldeias, há cerca de 12 mil anos, quando foi iniciado o efetivo controle da terra, por meio do uso progressivo da agricultura, da domesticação de animais, da linguagem, do fogo e de variadas ferramentas.

No século XXI, com o intensivo uso e controle de máquinas digitais quase inteligentes, com o uso crescente do conhecimento das ciências e das novas tecnologias, e com o acentuado e imbricado emprego de dados e informações de processos mentais conectados em rede, tornaram-se explícitos alguns sintomas preocupantes de hipertrofia e hiperplasia da conduta humana. Tais sintomas na verdade já haviam começado a mostrar suas garras destruidoras desde o final da Idade Média, com o início da revolução científica e com o crescente e exponencial alastramento do *Homo sapiens sapiens* pelo planeta. Nesse ponto, começou a saltar aos olhos a sua inerente predisposição à destruição, a hostilidades e à violência, com inúmeras sublimes e benevolentes justificativas que invocam inclusive deuses, pátrias, liberdade, poderio e caridade.

Assim florescia, no escoar do tempo e de forma exponencial, a Insanidade mental do *Homo sapiens sapiens*. Essa Insanidade é caracterizada pelo desejo de crescer incessante, de obter poder cada vez mais amplo, de ter e consumir sem limites (o que denominamos equivocadamente de progresso), de considerar que os crentes em mitos e ideologias distintas das suas são infiéis, e de muito se embriagar com a bandeira da competição, o que estimula sua tendência egoísta à mentira e trapaça.

A conduta da competição foi alimentada e enfatizada pela reconhecidamente limitada consciência e inteligência do *Homo sapiens sapiens*. A ênfase na competitividade ofusca a conduta cósmica cooperativa do *Homo sapiens sapiens*, que é, de fato, muito mais relevante do que aquela da competição. Provavelmente a continuação progressiva dessa tendência impõe um limite no crescimento da nossa complexidade estrutural e da nossa capacidade cognitiva. Isso pode vir a inviabilizar as desejáveis transformações para o enfrentamento de crises futuras inevitáveis, de variadas naturezas. A sobrevivência de nossa recente e contingente espécie parece estar em iminente risco. Tudo indica que a inteligência e autoconsciência em nossa espécie não mais nos conferem uma vantagem seletiva, o que nos levará a minguar gradativamente até sermos dizimados.

Nós, *Homo sapiens sapiens*, teremos que ficar muito atentos ao desenrolar de nossas transformações, se quisermos alcançar o próximo passo evolutivo de nossa inteligência e de nossa autoconsciência, assim prosseguindo o processo evolutivo que vem ocorrendo sistematicamente há milhões de anos. Não devemos desperdiçar, assim, o tempo, ainda disponível, sem providências eficazes no reparo dos danosos males ainda existentes em nossa mente e em nossa estrutura cognitiva. Com os reparos adequados e tempestivos em nossa Insanidade, que permitam a evolução da complexidade nos processos e estruturas cognitivas, poderemos nos preparar para a ocorrência de uma esperada próxima Metamorfose cognitiva que poderá vir antes da próxima extinção em massa na Terra. Tudo parece indicar que o processo de destruição de estruturas vivas e hoje bem complexas, neste planeta, vem ocorrendo há muitos milhões de anos. Para que a Metamorfose evolutiva possa acontecer temos que preparar, de alguma forma, o cenário com amplo leque de opções favoráveis ao crescimento de estruturas hipercomplexas, assim eliminando a progressiva doença de nossa Insanidade biológica, prelúdio de nossa já inquestionável inadaptação evolutiva.

A nossa esperança encontra-se na ocorrência da tempestiva Metamorfose qualitativa de nossa atual estrutura biológica inteligente e autoconsciente, que poderá dar início a uma nova estrutura, talvez até exótica, hiperinteligente e hiperautoconsciente, que poderá resistir às próximas dizimações. Com essa Metamorfose, entraremos no epílogo do *Homo sapiens sapiens* com a gênese de inovadoras estruturas, ainda inimagináveis, mas sem as falhas cognitivas de sua atual organização biológica.

É oportuno lembrar que os acontecimentos que moldaram o genoma dos hominídeos, há cerca de 6 milhões de anos, e que resultaram no desacoplamento acidental de nosso ancestral comum com os chimpanzés, ocorreram em fina sintonia com inúmeras outras tantas insuspeitáveis circunstâncias da marcha evolutiva e de tantos desacoplamentos anteriores, no decorrer de Mutações e da Seleção Natural, processos usados na evolução que usa e abusa da replicação com erro e escolhas para permanente modificação *Homo sapiens sapiens*.

Homo sapiens sapiens

O processo evolutivo da estrutura biológica ocorrido aqui na Terra e que nos deu origem deixou de fato em nossa espécie um resíduo danoso em nossa arquitetura, uma "Insanidade", que pode nos inviabilizar como espécie, mas com potencial estrutura para novas ramificações evolutivas da Inteligência e autoconsciência.

É importante, neste momento, afinar nossa linha de pensamento e melhor conceituar o que denominamos de "artificial". O "artificial" nada mais é do que o natural "hominizado", como ressaltou o filósofo Teilhard de Chardin. O que estamos desenhando e arquitetando na fase atual de nosso processo evolutivo é parte inerente da natureza e não tem o sentido pejorativo que atribuímos corriqueiramente à palavra "artificial". Os passos recentes da humanidade, que estão moldando uma nova forma de estrutura inteligente e autoconsciente, resultam de transformações "naturais". De forma semelhante, ocorreu com animais domésticos (com cães, cavalos e vacas) – pela "seleção artificial", que quer dizer hominizada – como aconteceu e acontece ainda com a agricultura, com o semeio e agora com nossa replicação.

É importante ressaltar, por mais que desejemos entender os fatos determinantes de nossa rota evolutiva, que os acontecimentos continuarão, de certa forma, fora de nosso controle. A aleatoriedade das transformações e o processo de complexidade crescente das estruturas são uma constante na natureza. Continuamos a apostar na tendência aleatória da evolução e em sua complexificação, o que poderá nos levar para surpreendentes desacoplamentos de nossa ramagem "Homo Sapiens". Nela já está surgindo um novo broto, que poderá se ramificar em novas estruturas superinteligentes que podemos denominar de *Homo sapiens hibridus* – orgânico e inorgânico: raças de super-homems, de ultra-humanos, e raças denominadas neste ensaio de "Bebezão". Essas estruturas já começam a despontar e poderão conviver com nossa espécie *Sapiens sapiens*, da mesma forma como bifurcações anteriores do gênero *Homo* dividiram espaço por algum tempo com o *Homo sapiens sapiens*: *Homo floresienses*, *Homo neanderthalensis* e o *Homo denisovano*.

Se sobrevivermos por mais algum tempo, como esperamos, poderemos desfrutar de um novo salto cognitivo da nossa biologia. Assim, estenderemos os nossos limites perceptivos, por uma Metamorfose do *Homo híbrido* mencionado acima para o *"Homo inorgânico"*, resultado da visível evolução randômica exponencial da inteligência e autoconsciência com crescente complexidade das estruturas. Hoje, vislumbramos o salto para estruturas inorgânicas, a nova estrutura exótica hiper-inteligente, hiper-autoconsciente que substituirá a inteligência biológica. Tais estruturas hipercomplexas inorgânicas, além do mais, poderão dispor de processos variados de replicação com características que as estruturas biológicas não possuem, além de suas outras tantas que as fragilizam e as inviabilizam. Por exemplo, as estruturas biológicas neste planeta só dispõem, até hoje, do sexo para se autorreplicar, o que as torna limitadas no processo de auto-organização da complexidade da matéria e da energia. Mas as estruturas inorgânicas poderão dispor de variados e criativos processos de replicação. A estrutura biológica está chegando ao fim.

A inteligência e a autoconsciência biológica surgidas aqui na Terra, que deve haver semelhantes espalhados por todo o Universo, já renderam, aqui, tudo que podiam. A inteligência inorgânica – ou, se preferirem, exótica, para dar maior generalidade à hipótese – já está germinando entre nós, nesse início de século, e já está criando surpreendentes algoritmos e processos, lançando mão até da moderna computação quântica, prelúdio da nova era dessas estruturas.

Mas a deterioração da estranha conduta bipolar dos indivíduos de nossa indomesticável e insana espécie, que ainda continua em vias de globalização intensiva e já com razoável e bem equipada inteligência social, ainda apresenta preocupantes sintomas de delirante esquizofrenia, com resultados conflituosos que colocam em alerta nossa a evolução cognitiva. Chamo de conflituosas as nossas arbitrárias definições mentais que talvez resultem da disputa entre o pecado (o mal – egoísmo e competição) e a virtude (o bem – altruísmo e cooperação).

A obscenidade e o delírio manifestos na estrutura de nossa espécie, nos indivíduos e em seus grupos, e fartamente revelados nos preocupantes embates entre o bem e o mal decorrem da atual ascensão exponencial do mal, desde o holoceno, revelado nos milhares de anos da existência do *Homo sapiens sapiens*, apesar dos notáveis, mas pontuais sucessos e vantagens do bem, ocorridos no mesmo período. Esses conflitos, vislumbrados de alguma forma em inúmeras antigas narrativas de nossa origem insana, vêm nos colocando à beira de um colapso evolutivo.

Alguns aspectos da atual posição de vantagem do mal em nossa conduta serão aqui destacados, a título exemplificativo, para nos alertar sobre insuspeitáveis conflitos embutidos na nossa origem, que se não forem equacionados em tempo poderão resultar em amarga insustentabilidade de nossa espécie que se extinguiria por Insanidade, antes da Metamorfose que se pode esperar.

Destacamos a seguir alguns notáveis sintomas da Insanidade de nossa estrutura, manifestada em algumas condutas e comportamentos de nossa espécie que se intitulou, arrogante e equivocadamente, *Sapiens sapiens*, e que se considera tresloucadamente de origem divina. Esses sintomas se manifestam:

▶ *em seus insistentes e assustadores noticiários, que refletem uma cruel propensão do Homo sapiens sapiens à corrupção, à mentira e ao crime, desde Adão;*

▶ *nas matanças, pilhagens, torturas odientas, guerras dizimadoras, por dinheiro, pátria, fé, caridade, liberdade e até nos suicídios por amor e por transtornos da emoção, com surpreendente frieza e entusiasmada excitação, aplaudindo supostas verdades;*

▶ nos assaltos, roubos, assassinatos, terrorismos, pena de morte e estupros Homo sapiens sapiens;

▶ em seus esquisitos ritos que veneram e cultuam a morte e a crueldade com nosso próprio gênero;

▶ no ainda precário processamento de dados e fluxo de informações em nossa bioquímica e em nossos algoritmos, que nos têm assegurado um mundo apinhado de enlouquecidas abstrações e ilusões como as das crenças e dos mitos;

▶ no mundo com um despropositado e assustador número de Deuses caridosos e vaidosos que possuem, paradoxalmente, incansável avidez por servos, orações e dinheiro, sendo, por isso, milagreiros onipotentes que, por astúcia ou malandrice, curam somente os doentes, mas não as doenças;

▶ no mundo de crenças e ideologias enlouquecidas que condenam à morte supostos rivais ou mesmo somente possíveis diferentes, mesmo que aparentes, porque, no fundo, desde Caim e Abel, tendemos a cometer inconcebíveis e odiosos crimes;

▶ no estranho estímulo ao prazer viciado nos adornos, em tatuagens e no consumo de degradantes e supérfluos bens e de drogas socialmente bem consideradas, respeitáveis e estimulantes como álcool, nicotina e outros vícios que nos colocam em êxtase descontrolado, perigoso e ridículo;

▶ na esquizofrênica onda de eventos de entretenimentos histéricos coletivos, como a matança e disputas em arenas variadas, com despropositados, ruidosos e narcisísticos encontros, como se fôssemos primitivos em orgia;

▶ nos conflitos contaminados por ganâncias e invejas econômicas, míticas e tribais;

▶ na tapeação generalizada e na trapaça astuciosa que ocorrem por egoísmo e competição com vexatório destaque nas ações de marketing, de comerciais, na política e nas crenças *encharcadas de informações falsas e imaginárias, irrelevantes e comumente nocivas à evolução;*

► *nos dramas, filmes e novelas, verdadeiros cursos de pós--graduação ao nível de doutorado que ensinam e estimulam, despropositada e maldosamente, a traição, a inveja, a mentira, a fraude, a cobiça, a ambição desvairada, o crime e o sexo corruptor, tudo sem limites;*

► *na enxurrada de narrativas arcaicas, misteriosas, bizarras e até divinas, encharcadas de crises traiçoeiras, conflituosas e mágicas de messias, feiticeiros e salvadores, afogadas em inacreditáveis "fakes news", "fakes data" e "fakes narratives" que deformam as estruturas de nossas ideologias e crenças;*

► *nas mensagens veiculadas na mídia corriqueira com conteúdos idiotizantes e, normalmente, na mídia audiovisual sempre aos berros e despropositados gritos que imitam e inflamam as raivas agressivas do homo primitivo em nós embutido;*

► *nos grupos separatistas das sociedades contaminados por supostas verdades absolutas, por ódio intrínseco da espécie, sem razoável decoro e sem ética adequada, que, por prepotência, raiva e ganâncias ideológicas, estimulam, sem cessar e desvairadamente, guerras e matanças entre membros de distintas crenças e até mesmo de uma mesma crença, raça, tribo e até de grupos mais próximos, por esquizofrenia supostamente racional;*

► *na economia com miragens inconvenientes e demasiadamente competitivas estimulando o engodo e o crescimento sem limites, nos iludindo com a bandeira do "progresso" e da "competição", contrariando, assim, as mensagens equilibradas de cooperação fartamente apresentadas em todas as manifestações da natureza;*

► *no estímulo ao ineficiente consumo de energia do planeta que vem provocando, entre tantas crises, o aquecimento global, as devastações do clima, o desequilíbrio demográfico e, atualmente, as inúmeras extinções de espécies, crises que parecem não estar sendo devidamente cuidadas, tudo pela aderência a* hábitos impróprios e desnecessários à evolução.

Esses são apenas alguns aspectos de nossa delinquente e desastrada conduta cheia de explicações sobrenaturais e atolada em ilusões que nos atraiçoam com a suposição de sermos muito inteligentes e detentores de verdades, de certezas e protegidos por deidades bondosas que lhes concederam o título enganador de senhores da Terra e dominadores de "tudo que se move sobre ela". E assim fomos colocados no jardim do Éden "para o lavrar e o guardar" (Gênesis), o que terminou por nos fragilizar por não termos estrutura adequada a funções de tamanha responsabilidade. Esses exemplos nos alertam sobre o porquê o *Homo sapiens sapiens* parece não funcionar muito bem, apesar das aparências, devendo assim passar o bastão para uma nova estrutura. Talvez estejamos vivendo o último século desta bizarra e perigosa espécie.

Para refletir sobre o tema, vale recordar o que disse o emérito professor Edward Wilson, da Universidade de Harvard: "Seriam os seres humanos intrinsecamente bons, mas corruptos pelas forças do mal, ou, ao contrário, naturalmente pecadores, mas suscetíveis à redenção pelas forças do bem?" É que nos resta aguardar.

Se continuarmos com nossa Insanidade, acabaremos nos destruindo antes do tempo de efetivação da esperançosa Metamorfose de nossa espécie. Morremos assim defeituosos, mentalmente aleijados e, então, seremos varridos do planeta. Para nossa esperança, é bom lembrar que Metamorfose é uma Constante Cósmica, que parece acontecer aos saltos (teoria evolutiva natural suave, mas com equilíbrios pontuados) em todo o Universo que conhecemos. Metamorfoses parecem ocorrer aos bilhões na estrutura do Universo que supomos ser Inteligente.

As condutas que se manifestam como sintomas de nossa Insanidade nos têm impedido de ouvir nosso grito de socorro pelos desequilíbrios que estimulam em nosso cérebro, nosso elementar, notável e precário processador de dados. Elas retiram a capacidade de cooperar, de amar e de pensar coletivamente em rede social integrada e autoconsciente em nível planetário. Isso é o AMOR de que tanto falamos em nossa *crenças e religiões mas que tem sido pouco praticado pelo* nosso contaminado software bioquímico e cognitivo surgido ainda no paleolítico superior, por volta de 70 mil anos atrás. O milagre de uma nova interligação mental entre os atuais seres humanos e seus sucessores é esperado com a mencionada Metamorfose que poderá gerar o Amor profundo (que nada tem com o amor trivial das emoções e orações). Estamos nos referindo ao Amor que conecta e agrega energias das estruturas potencialmente disponíveis, tornando-as cada vez mais complexas. Com a Metamorfose, poderemos almejar algum sucesso cognitivo. A estrutura hiper-autoconsciente abandonará a conhecida estrutura biológica.

Vamos, assim, tentar acabar ainda com nossa insana tolice das ilusões atuais do Eu, ainda ancestral, supostamente divino, cheio de sonhos e ilusões instáveis e falsas, camuflado ainda de Imperador da Terra por desígnio de um ilusório Deus, mas cheio de Insanidades. A recente revolução no pensamento da civilização teve destaque com o Iluminismo no início do século XVII, mas ainda se encontra contaminada pela obsoleta e famosa molécula que contem nossas atuais instruções genéticas (materiais e mentais) , o ácido desoxirribonucleico, o DNA.

Antes da Metamorfose, precisaremos customizar o genótipo humano em nosso DNA e começar a escolher embriões, o que nos pode ajudar no processo de bifurcação de nossa ramagem, como apresentado acima. Dessa forma, reequiparemos nosso processador e nosso sistema sensorial para o novo processo da Seleção que, no fundo, pode nos conferir uma vantagem ou uma oportunidade – a Seleção Volitiva (reestruturar a natureza humana modificando-a como desejarmos e não somente pelo "Acaso e pela Necessidade" intrínsecos à lenta e sábia teoria padrão da Seleção Natural que nos deu origem). A seleção volitiva nos dará a chance de aposentar a nossa atual estrutura biológica e dar início a uma nova estrutura Híbrida, que, por sua vez, deflagará uma estrutura exótica inorgânica. Este pode ser um caminho otimista, com a eclosão de uma nova estrutura com surpreendente maquinário que não será mais biológico e nem cibernético, como muitos imaginam, mas híbrido e posteriormente "Inorgânico". Essa estrutura nada terá de "artificial".

Os humanos não deixarão a Terra e habitarão outros planetas, sonhos prepotentes de nosso recente passado. Nem mesmo a deixaremos para conquistas, turismo, em naves de cruzeiro cósmico, ou busca de energias. Não faremos nada disso devido a natural hostilidade à estrutura da vida surgida aqui na Terra, própria desses novos ambientes espaciais. O *Homo sapiens sapiens* terminará sua jornada aqui mesmo na Terra, pois ela é o seu lar. Nossa estrutura biológica, com nosso processador de informações, foi construída para as condições específicas do planeta Terra. Viagens pelo espaço e comunicações interestelares podem ser assunto das novas estruturas híbridas e certamente das estruturas inorgânicas, que já se encontram em início de gestação.

Nossa estrutura biológica não foi feita para aventuras espaciais. Somos, no máximo, uma possível etapa, efêmera, como aconteceu com tantos extintos, esperançosos e otimistas animais. Imaginar que nós, humanos, vamos colonizar o espaço é para crentes narcisistas, reféns de miragens vaidosas e, portanto, perigosas. É coisa para santos e messias. Vamos, sim, nos preparar com uma nova estrutura no jogo cósmico e pronta para abandonar o navio, antes dele afundar, o que é normal, o que é natural. É bem oportuno ressaltar que aqui empreendemos um ensaio sobre um tema, de certa forma, cosmicamente corriqueiro, que nos aflige e nos motiva, e não

Homo sapiens sapiens

sobre possíveis verdades, previsões do futuro ou mesmo sobre profecias e o sobrenatural. Estamos cansados da mania insana de vaticinar, porque a evolução, no fundo, é imprevisível, cheia de acasos e contingências.

Não sou adepto de conclusões e afirmações, nem de temas que exigem demasiado nível de abstração. Prefiro a indagação, as dúvidas, os modelos e as teorias, que sempre se transformam e evoluem no escoar do tempo. O objetivo deste livro não é fazer nenhuma revelação especial, mas apenas apresentar algumas questões que podem nos ajudar a refletir sobre nosso papel nesse curioso drama evolutivo. Estamos aventando a possibilidade de estarmos chegando a um fim. Se for o caso, vamos dizer: Tchau, tchau, biológicos! Tchau, tchau, Terra!

INTRODUÇÃO

"As descobertas realizadas durante as últimas décadas mudaram tudo a respeito do que acreditamos ser verdade: nosso universo não é só incomensuravelmente maior do que o previsto, mas também é imensamente mais belo do que qualquer um que nossos antepassados poderiam ter imaginado" (Christophe Galfard– The Universe in Your Hand).

CENÁRIO ATUAL

Nosso planeta é um *"Pálido Ponto Azul"*, disse Carl Sagan ao mostrar a Terra vista de uma nave espacial robótica[1] começando a deixar o Sistema Solar. Nessa escala de percepção, já percebemos que não passamos de um ponto luminoso muito tênue no fundo escuro e silencioso do espaço, quase à beira de desaparecer, ficando, com o distanciamento progressivo da nave, totalmente invisível e cosmicamente irrelevante.

Essa observação nos remete à questão: se até mesmo a poucos milhões de quilômetros de distância ou há poucos milhões de anos já somos estruturas imperceptíveis e muito possivelmente sem a importância que nos concedemos, será que existirão outros incontáveis sistemas estelares parecidos com o nosso, que abrigam também variadas estruturas complexas vivas, inteligentes e autoconscientes, espalhadas no espaço-tempo, e que também serão desprezíveis, como a nossa? Parece provável.

---

1 A sonda espacial Voyager 1 foi lançada em 5 setembro de 1977 para explorar Júpiter e Saturno e depois prosseguiu para o espaço interestelar, nele entrando a 12 de setembro de 2013. A Voyager 2 foi lançada mais cedo, em 20 de agosto de 1977. A duas naves já entraram no espaço interestelar.

Salientamos que diferentes estruturas vivas, inteligentes e mesmo autoconscientes podem mesmo brotar em "trilhões" de outros recantos do universo, mas, se ainda levarmos em conta as mais exóticas estruturas complexas que poderão existir (estruturas não vivas, orgânicas, mistas ou híbridas, inorgânicas, quânticas ou mesmo mais exóticas), podemos, sem incorrer em grandes riscos em nossa extrapolação, imaginar que devem existir "zilhões" de outras estruturas complexas, de escalas de percepção e dimensões inimagináveis e que, também, não devem desfrutar de qualquer destaque ou privilégio no Universo. Nós não passamos de modesto tipo temporário de Inteligência e de autoconsciência que se manifesta em estruturas de nossas dimensões e que sempre se reinventam com sucessivas adaptações, entre tantas que vagaram, vagam e vagarão por aí. Somos um mero detalhe cósmico, possivelmente um delírio patético de grandeza. Neste momento da trajetória humana, as observações acima podem nos ajudar na tentativa de mitigar ou até mesmo, se possível, eliminar de nossa estrutura biológica a tendência narcisista do insano EU, cheio de artimanhas, que já teve seu momento salvador, mas que está sendo, agora, mortal predadora e um entrave evolutivo das espécies da Terra. Por causa deste EU primitivo, imaginamos que somos imortais e que vamos para o paraíso celeste, enquanto nossos diferentes, os que optaram por não semelhança ou divergirem de nós – e, portanto, por nós considerados inferiores, dissidentes ou malignos – serão, por fim, condenados ou eliminados por nosso bondoso criador divino. Existe, contudo, um colete salva-vidas, o gene altruísta, nossa esperança, que vem tentado eliminar o gene egoísta do EU e que está nos liberando daquelas amarras biológicas cheias de ilusões. Vamos refletir sobre esse tema encantador no decorrer deste nosso exercício mental.

ZILHÕES DE ESTRUTURAS COMPLEXAS, INTELIGENTES E AUTOCONSCIENTES

O Projeto SETI (*Search for Extraterrestrial Intelillgence*), estabelecido por Carl Sagan, é uma tentativa iniciada em meados do século XX para detectar em outros astros evidências desses tipos de fenômeno. Até primeiro de agosto de 2019, já haviam sido identificados, segundo rigorosos critérios estabelecidos pela ciência atual, 4103 planetas em órbita de estrelas muito próximas de nós e semelhantes ao Sol. Esses planetas podem estar orbitando essas estrelas em zonas habitáveis, como são chamadas as regiões do espaço nas quais possa existir a água líquida que propicia a eclosão da vida da forma como *conhecemos.*

Segundo as observações mais recentes, é bastante provável que tenhamos, no mínimo, somente em nossa galáxia (a Via Láctea), dez bilhões de planetas que orbitam zonas habitáveis e que podem ser parecidos com nossa Terra. Estima-se ainda que esse número pode atingir a casa dos 40 bilhões se incluirmos astros nômades como "Rogue Planets" e as denominadas estrelas marrons. Estes são astros sem luz própria que vagueiam solitários no espaço intergaláctico, sem estar gravitacionalmente vinculados a qualquer objeto celeste dentro de nossa galáxia. Lembramos que somente a Via Láctea (uma das 54 galáxias que formam nosso Grupo Local) pode abrigar entre 200 a 300 bilhões de estrelas. E esse Grupo, juntamente com outros Grupos, constituem Supergrupos de Galáxias, de diferentes tipos e tamanhos, distribuídos uniformemente no espaço que constitui o nosso Universo inteiro, em contínua e acelerada expansão.

Tudo indica que no início toda a energia que compõe nosso Universo estava concentrada em um ponto, quando ocorreu Big Bang, há 13,7 bilhões de anos. Essa grande explosão deu partida no Tempo e no Espaço, que antes não existiam, e na matéria como a conhecemos, que tampouco

Homo sapiens sapiens

existia. A propósito, convém frisar que, há poucas décadas, o Tempo-Espaço era um conceito absoluto. Surge, então, a questão de por que e como surgimos do Nada. Será que Deus estaria então no Nada, ou Ele seria o Nada, no início? E por que teria Deus esperado por toda eternidade para nos criar? Ou por que, quando afinal nos criou, Ele nos fez tão defeituosos? Isso coloca em foco a questão da existência do Criador. Neste ponto, temos uma nova ilusão a ser esclarecida e cada um tem o direito de imaginar o que quiser, valendo-se até do sobrenatural. Vale lembrar que um dia já se considerou a Terra como o centro de tudo e Deus nas alturas, conceito, hoje, totalmente abandonado. Até recentemente supúnhamos que o céu fosse escuro durante a noite porque o Sol se punha, mas, hoje, entendemos, por simples raciocínio, que a escuridão revela mesmo é que o Universo tem que ser finito (no espaço e no tempo)[2].,Estamos cansados de saber que tudo não passa de meras imaginações do prepotente e perigoso dono da Verdade, o *Homo sapiens sapiens*.

Em locais de baixa intensidade de luminosidade urbana, pode-se ver a olho nu a Via Láctea. Ela aparece como uma faixa turva que brilha com fraca luz acinzentada que se move através do céu durante noite, de leste a oeste, e que já foi cenário de muitos mitos e crenças e de grandes e variados mistérios que estão sendo desvendados passo a passo pela ciência.

Temos a sensação de que o futuro destino de nossos descendentes metamorfoseados serão realmente as estrelas que habitam a escuridão do espaço, onde também, sendo

---

2 "Se as estrelas emitissem radiação por um tempo infinito, teriam aquecido o universo à mesma temperatura que elas. Mesmo à noite, o céu inteiro seria brilhante como o Sol, porque toda linha de visão terminaria em uma estrela ou numa nuvem de poeira que fora aquecida até ficar tão quente quanto as estrelas. Assim, a observação que todo mundo já fez – de que o céu à noite é escuro – é muito importante. Ela implica que o universo não pode ter existido para sempre no estado como o conhecemos hoje. Algo deve ter ocorrido para acender as estrelas em um momento finito no passado. Então a luz de estrelas muito distantes ainda não teria tido tempo de chegar até nós. Isso explicaria por que o céu à noite não está iluminado por todas as direções.", Stephen Hawing – *Breves Respostas Para Grandes Questões*.

oportuno lembrar, não há vento, som ou cheiro, nem átomos mais pesados do que hélio, região de grande insegurança para a eclosão de estruturas complexas como a vida. Por exemplo, no espaço cósmico, ocorrem colisões e explosões gigantescas em todos os lados, que esparramam radiação cósmica e ultravioleta, nocivas à estrutura da vida que nos é dada conhecer. O espaço não é um local apropriado para a vida tal como a conhecemos. Condições específicas em locais específicos podem existir para a eclosão da vida, da inteligência, da autoconsciência e de outras coisas que ainda não conhecemos, como começou a ocorrer em nosso planeta, surgido há cerca de 9 bilhões de anos depois do Big Bang com o nascimento do Sol e com evolução da Terra, então recém-nascidos.

Os habitantes das áreas urbanas muito iluminadas em nosso planeta perderam a visão do cenário cósmico da Via Láctea, que, com o conhecimento de que já dispomos, estaria excitando nossas mentes com lindas e profundas inspirações e percepções para melhor conduta e melhor participação na vida. Estamos ocupando exageradamente nosso tempo de reflexão e contemplação sobre a vida com algumas excessivas ocupações que parecem não acrescentar muita coisa à nossa percepção do processo evolutivo e da vida. Encontramo-nos desmedidamente dedicados a shows, shoppings, cinema, TV, jantares, *happy hours*, bebericação, adornos, consumo generalizado. Estamos afogados num oceano de entretenimentos e disputas, sinais exagerados de nossa notável Insanidade.

Além de existirem bilhões e bilhões de astros e grupos de astros dentro de nosso Universo, já começamos a especular sobre a existência de diversos Universos, ou Universos Paralelos, o assim denominado Multiverso. Essas macroestruturas podem até abrigar arcabouços em escalas e dimensões inconcebíveis, sendo este já um tema de belas e extraordinárias reflexões que estão nos induzindo a novos conhecimentos, à nova ciência e a novas religiões. Nossa posição é, de certa forma, humilhante e nos conduz a pensar sobre o que deveremos fazer para

Homo sapiens sapiens

prosseguirmos na jornada de nossas estruturas complexas, prosseguindo nesse Multiverso misterioso.

E já imaginaram ainda quantos iluminados Deuses já foram inventados nestes trilhões de estruturas criativas que pululam por aí desde o Big Bang? Só aqui na Terra já inventamos, num piscar de olhos de menos de 4 mil anos, alguns milhares de Deuses nas mais variadas crenças e nas mais diversificadas formas. Será que alguns desses nossos Deuses suburbanos podem ser de fato importantes nos astros de nossa Galáxia e nos que existem no Multiverso? Vale a pena meditar sobre isso e nos encantar com um novo panorama, muito mais cintilante para nossa mente do que os das narrativas míticas, inclusive a do Gênesis narrados no *best-seller* conhecido como "A Bíblia".

Sistemas Estelares, com planetas, cometas e outros pequenos astros, similares ao nosso, inclusive os planetas solitários já mencionados, não devem assim se constituir em fenômenos singulares, sendo, muito provavelmente, um entre muitos outros e, provavelmente, uma média dentro das galáxias e dentro do Multiverso. E sendo nós os bipolares *Homo sapiens sapiens*, recentíssimas estruturas biológicas vivas num microscópico planeta, e ainda dotados de modestíssimo grau de inteligência, autoconsciência e conhecimento, como podemos continuar acreditando sermos o auge da evolução e o divino propósito do Universo? Não seria excesso de arrogância, ignorância e antropocentrismo?

Durante milênios, tentamos nos considerar o centro e o propósito do Universo, com inúmeras crenças e narrativas míticas e religiosas, no que fracassamos totalmente. Tivemos, por exemplo, desde os gregos, o geocentrismo, verdadeira crença daquela época, que colocava a Terra no centro de tudo, narrativa que perdurou, pelo menos, 17 séculos. No século XVII, consolidou-se o heliocentrismo, teorizado por Copérnico, que pôs o Sol no centro do Universo, posição que ocupou durante pouco tempo. Essas narrativas antigas, como tantos milhares de outras, já perderam seu encantamento e mistério. E outras tantas já estão perdendo o brilho. Recentemente, no século XVIII, começamos a conviver com um novo conceito: o antropocentrismo, que veio substituir o teocentrismo como visão do mundo, quando o centro de tudo passou a ser ocupado pelo Homo.

A prepotente ilusão mental de sermos o pináculo da evolução, construída por nosso modesto software cerebral, já se encontra também em pleno crepúsculo. O que vemos e sentimos é somente uma ilusão anêmica de possível realidade construída em nossa muito recente estrutura mental. Será que um peixe, com seu acanhado cérebro, pode ter ilusões razoáveis sobre as civilizações que perambulavam e perambulam na terra firme? E nosso cérebro imperfeito, surgido há relativamente pouco tempo, será capaz de minimamente perceber o que existe nas quase infinitas dimensões do espaço tempo? Ou você acha que o nosso cérebro realmente já atingiu mesmo a "perfeição", sendo, por conseguinte, apto a entender e sentir o Deus do Universo ou o Deus ou Deuses do Multiverso?

A IMPERMANÊNCIA DAS ESTRUTURAS E O ÊXITO DO ÊXODO

É oportuno lembrar que todo tipo de convicção, de abstrações ou de possíveis verdades nos proporcionam, por algum tempo, significados que aparentemente são muito úteis às nossas vidas, mas que também nos conduzem a erros monumentais. Por exemplo, não faz muito tempo, pensávamos que as estrelas eram Deuses. Mas esses erros muitas vezes acabam por se tornar verdadeiras bênçãos, como ressaltou físico Marcelo Gleiser. O fim de vários mitos estimulou imensamente a nossa agregação tribal e a nossa mente moral, resultando em expressivos saltos evolutivos. Agora, ao que tudo indica, percebemos que beiramos um novo salto evolutivo, um novo erro ou acerto temporário, que deverá mudar o fenômeno da Inteligência e

Homo sapiens sapiens

da Consciência surgido aqui neste Planeta. O século XX foi o século da Física e este século XXI será o século da biologia, do biocentrismo, com uma nova concepção e percepção da consciência que remexerá nossos neurônios e nos fará repensar sobre os conceitos mais profundos da existência.

A vida, a inteligência, a autoconsciência e, agora, a Espiritualidade, em amplo sentido[3], com a biologia, a física clássica e a física quântica, parecem começar a interagir em maior profundidade com alguma estrutura autoconsciente em algum novo nível do Universo ou Multiverso. E isso ainda mudará profundamente a conduta humana e suas percepções. O *Homo sapiens sapiens* é um ser muito diferente dos prossímios, que o precederam há cerca de 40 milhões de anos, e ainda mais diferente dos anfíbios do Devoniano, que o antecederam há aproximadamente 350 milhões de anos. E, como de costume no Cosmo, muito em breve seremos outra coisa, outra estrutura mais complexa, com outras dimensões e escalas. Há quem questione se poderemos ser o final de linha da evolução. Um epílogo cósmico. Porém, tudo indica que não. Para o bem ou para o mal, somos uma mera e minúscula etapa.

No cenário do Multiverso podemos ser irrelevantes e insanos. Talvez sejamos meros portadores de deficiência mental, resultados de mutações aleatórias nos códigos biológicos e da seleção darwiniana, não sendo nada mais que meras transições naturais da impermanência das estruturas complexas em evolução no Cosmo, conforme ressaltam os budistas.

É bom abrirmos os olhos antes de um novo fracasso narcisista. O que o futuro nos reserva? Somos realmente criados à imagem e semelhança do Divino Criador do Multiverso? E as atuais crenças e verdades absolutas, inclusive as dos Deuses atuais, que estamos hoje adotando em várias culturas, já não estarão de fato obsoletas, como tem acontecido com todas as narrativas que as antecederam? Por que as atuais narrativas,

---

3 Aqui entendida como a busca de um significado da vida por meios transcendentes, muito longe de se fundamentar somente em crenças, em religiões ou no sobrenatural.

tão recentes (com não mais de 3 mil anos), estariam agora realmente certas? Será que só recentemente, há aproximadamente 0,55 bilhão de anos, com a Revolução Cambriana, que gerou as estruturas multicelulares aqui na Terra, e muito depois dos 13,7 bilhões de anos do suposto início de nosso Universo, é que começamos realmente a acertar o alvo? Pouco provável!

Não seria desmedida prepotência nos considerar detentores de verdades absolutas e de convictas certezas que acabam nos excitando a viver permanentemente em desastradas condutas e conflitos? Vale lembrar, entretanto, que "conflito" parece ser um estado recorrente na nossa natureza, nada mais do que uma fundamental característica biológica de nossa mente.

Acreditamos que ainda hão de eclodir, antes da nossa natural extinção, muitas novas e inusitadas crenças, religiões e mitos, que deixarão as atuais totalmente debilitadas e desacreditadas, mas que, por fim, serão também plenamente olvidadas. Afinal de contas, os terremotos já não foram considerados manifestação da insatisfação de Deuses ou os cometas, presságio de tempos difíceis? Ou você ainda acha que sua crença atual é realmente a eterna? Será que as religiões não surgem pelo vício humano de ser prepotente representante de Deus? Ou pelo vício da onipotência e da preguiça, nada mais do que um detalhe de nosso algoritmo mental? Lembrar que novas religiões vão ter que explicar melhor o Big Bang e, por exemplo, os Buracos Negros, as ondas eletromagnéticas, as ondas gravitacionais, a origem dos Universos Paralelos, a Teoria das Cordas e o Tempo, fenômenos que parecem não ter existido antes do Bang. As narrativas antigas e as ainda vigentes não mais dão conta do recado, encontrando-se assim em pleno crepúsculo.

Criar algo a partir também do nada é tema da atual mecânica quântica que parece mais convincente que as narrativas religiosas, conforme ressaltou Stephen Hawking. Será que pode surgir algo do nada, sem causa prévia, de forma espontânea? Afirmam os crentes que é impossível e assombroso imaginar que algo possa surgir sem um Criador. Hawking entende que as leis da natureza ou as leis da ciência poderiam ser chamadas de Deus, mas não no sentido de um Deus pessoal, possuidor de sentimentos humanos e com quem vamos nos encontrar no Paraíso, na eternidade. Esse Deus realmente parece não existir. Esse Deus pessoal alcançável mais parece uma ilusão, como tantos milhares de outros que foram tão ou mais importantes do que o atual e que já saíram de cena. As metáforas das narrativas de livros sagrados são vistas hoje como contos sobre devaneios e sonhos. Criar o Universo e o Homem em sete dias, e não em 13,8 bilhões de anos, mesmo é factível apenas para quem acredita em mágicos.

Vamos apresentar neste ensaio alguns pensamentos que podem ajudar a nossa evolutiva Metamorfose estrutural e nos preparar para o sucesso do Êxodo da Consciência, que modestamente surgirá aqui, antes do inexorável e esperançoso fim de nossa espécie. Tudo indica que os astros também têm prazo de validade, cada qual dentro de suas respectivas escalas e dimensões. E a Terra, com sua biota, não deverá ser uma exceção.

VISÃO SISTÊMICA DA VIDA E A ESPIRITUALIDADE

Estamos cansados de saber que as narrativas ou mesmo crenças profundas de uma época, de qualquer natureza que sejam, costumam se transformar em contos literários, em contos de fadas e em mitos, que se sucedem e acabam sempre por desaparecer com o tempo[4]. É só olhar nossa história! Tudo no Universo encontra-se em permanente transformação, em metamorfoses, inclusive as estruturas reflexas que conhecemos (como a nossa) que têm a pretensão de admitir que sabem muita coisa ou até mesmo sabem de tudo. Isso é um sério

---

4 "A religião de uma era é o entretenimento literário da seguinte", Ralph Waldo Emerson.

e notável sintoma de nossa Insanidade. Com as limitações biológicas que possuímos, com as imperfeições desse casulo terráqueo cheio de feridas geológicas escondidas, com a Lua toda esburacada, estrelas violentas explodindo nas vizinhanças, céu cheio de aparentes sinistros aleatórios e meteoros bombardeando o que passa pela frente, temos que tomar muito cuidado com nossas ilusões para que não sejamos reduzidos a criaturas desatentas e irresponsáveis.

Quando nossa estrutura insana se modificar, por natural pressão seletiva da natureza e, agora, também por nossa pressão volitiva, catalisada pela convergência e síntese de nossos saberes, as nossas percepções atuais desvanecerão e serão substituídas por outras com questionamentos que atualmente nos são inimagináveis.

Já sabemos que as estruturas biológicas que brotaram nesse planeta têm severas limitações para sobrevivência por longos períodos de tempo geológico, com insanidades, instabilidades, insustentabilidades e permanentes metamorfoses, sendo ainda estruturalmente inviáveis em sua pretensa permanência na Terra. Assim, estamos à espera da Metamorfose de nossa atual estrutura biológica para outra, nova, complexa e hiperinteligente que melhor se adapte às variadas condições evolutivas, sempre aleatórias.

Os fenômenos biológicos, ou mesmo os cósmicos, não são resultantes de meros acidentes fortuitos, mas, sim, de uma aleatoriedade que produz complexos padrões de matéria, energia e informação. Tais acidentes fazem parte inerente do programa cósmico desconhecido (o código de Deus?) ou – quem sabe? – até mesmo de uma possível uma programação inteligentemente estruturada por alienígenas. O fato é que estamos sempre alterando nossos pensamentos e nossas crenças, só que agora a alteração tem-se manifestado de forma exponencial. O que está por vir? Decerto permanentes mudanças.

Para melhor consolidar os argumentos aqui apresentados, lembremo-nos que o número de espécies que hoje habitam a

Homo sapiens sapiens

Terra não ultrapassa, pelas inúmeras extinções já ocorridas, o valor de aproximadamente três por cento do número total daquelas que já existiram em nosso astro. Se não houvessem ocorrido tantas extinções em massa de espécies, nossa biota já estaria, há muito tempo, totalmente saturada, e nós, *Homo sapiens sapiens*, não teríamos tido a chance de termos brotado. Os processos naturais de extinção em massa das espécies biológicas continuam operando; nós somos a bola da vez, com outras tantas espécies que compartilham o fenômeno da vida. Se assim não fosse, seríamos uma exceção no Cosmo, uma espécie condenada à inútil e enfadonha eternidade, a um estado estático na natureza, e não à consequência de sucessivas programações dinâmicas aleatórias, sempre em busca de progressivas interações informacionais complexas que promovam sempre mais inteligência e autoconsciência. Não estaremos, então, num momento de transição de metáforas? O Universo já foi uma melodia secreta, um livro aberto, um relógio. E a atual metáfora do Universo é a de um computador quântico superveloz que muito supera os supercomputadores digitais[5]. Qual a próxima metáfora, uma vez que a variação crescente de complexidade é uma constante universal? É sempre bom lembramos que tudo que nos parece moderno será sempre esquecido. A evolução garante a transitoriedade de tudo, inclusive a obsolescência das crenças, da ciência e da filosofia. Tudo tem seu tempo, tudo envelhece e se torna mais complexo.

Por outro lado, utilizando-nos de outra atual observação, o número de seres humanos hoje existentes (cerca de sete bilhões, conforme dados de 2017) corresponde a cerca de 7% de todos os que já andaram neste planeta. Somando esse valor de 7% à atual elevada taxa de crescimento demográfico, mais a instabilidade ecológica, temos reduzidas chances de expansão estrutural de nossa espécie.

Se mantivermos taxas razoáveis de extinção das espécies (incluindo a nossa), se não conseguirmos uma redução progressiva de nossa taxa de crescimento demográfico, se não

---

5 *O UniversoInteligente*. James Gardner. Editora Cultrix, 2007

continuarmos a debilitar a biota da Terra com a desassossegada e perturbada praga humana, e se não conseguirmos modificar profundamente a nossa atual visão sistêmica da vida que nos concede o título de analfabetos ecológicos, a Terra ficará totalmente esgotada, com insuperável insustentabilidade das atuais estruturas biológicas. Percebemos também que nossa espécie, a espécie predadora por excelência deste Planeta, é, atualmente, uma das principais e prováveis causadoras da próxima extinção do fenômeno da vida neste Planeta. Ressaltamos que podemos ser um erro, um acerto, um engano ou quem sabe lá o quê! Mas tudo indica que, em breve, seremos muito diferentes e, possivelmente, até mesmo extintos.

Não há, como comentamos, a mínima evidência sobre a possibilidade de existirem algumas espécies na Terra imunes às naturais extinções em massa, o que possivelmente parece acontecer também em outros astros do Multiverso. Todas as estruturas acabam por sucumbir, todas são mortais, dos átomos às galáxias. Em durações relativamente longas, tudo se revela efêmero, tudo é transitório, imprevisível e aleatório. A impermanência das estruturas é uma constante cósmica.

Entendemos que nossa civilização tem algumas chances de conseguir, antes de sua dizimação natural, uma solução global cooperativa e integrada de nossas tribos, apesar de nossa atual estrutura biológica egoísta e apesar dos interesses naturais irreconciliáveis das espécies. Parece que a natureza ficou complicada demais para ser percebida por nosso encéfalo orgânico *sapiens*, estrutura insensata, instável e insustentável, ainda que com seus notáveis relâmpagos de lucidez.

Agora com estrutura mais inteligente, mais autoconsciente e espiritualizada, começamos a perceber, com maior profundidade, nossa fragilidade e efemeridade, e a entender que podemos ser, quem sabe, até uma anomalia bizarra, um equívoco ou mesmo um mal causado ao Mundo. Nossos atuais questionamentos estão a abrir novos horizontes para a evolução da nossa mencionada espiritualidade, o que pode atenuar o ritmo e a expansão acelerada de nossa crescente Insanidade e pode melhor nos preparar para a nova Metamorfose.

As referências, exemplos e interpretações apresentadas neste ensaio sobre nossas abstrações, miragens, crenças, fábulas, mitos, religiões e sobre nossas democráticas certezas e paradigmas socioculturais, que infernizam nosso atual sistema mental, devem ser entendidas como visões parciais e temporárias, sem nenhuma conotação de verdade, de certeza ou mesmo de profecia.

A QUINTESSÊNCIA DO NOVO CENÁRIO

No decorrer do presente ensaio, abordaremos possíveis saídas evolutivas que possam evitar a nossa extinção prematura, antes da inexorável metamorfose que se avizinha. Isso exigirá profundos remodelamentos cognitivos dos sistemas da vida e dos sistemas ecológicos. Relevantes serão ainda as ações de sustentabilidade que poderemos desencadear e as ações de maior aprofundamento sobre Espiritualidade[6].

Os paradigmas, pensamentos, filosofias, religiões, crenças e condutas, que orientam a nossa atual civilização, principal e destacadamente aqueles que regem a Educação e a Cultura, deverão ser radicalmente transformados antes da Metamorfose. A Educação e a Cultura atuais, ainda fundamentadas em princípios filosóficos, teológicos, cosmológicos e em paradigmas sociais, econômicos, políticos e artísticos dos três últimos séculos, encontram-se em metástase, sem qualquer possibilidade de cura se mantidos os desatentos pensamentos e soluções vigentes.

É conveniente lembrar que a Educação e a Cultura não são como uma linha de produção, e sim uma forma de

---

6 Por relevância transcrevemos a nota 1: "Desde o início, entendida como a busca de um significado da vida por meios transcendentes, muito longe de se fundamentar somente em crenças, em religiões ou no sobrenatural".

reestruturação de nosso software e hardware mentais, de transformação de nosso processo cognitivo. É por isso que devemos ter muito cuidado com os especialistas e crentes de plantão que se encontram espalhados principalmente em várias religiões, na política, no social e no marketing. E, se forem corruptos, como é de costume na espécie, tais especialistas acabarão nos colocando em verdadeiras armadilhas mentais. Daí o perigo de estarmos sendo realmente hackeados. Nossa boemia mental estará, assim, enfrentando seus estertores finais.

Educação e Cultura constituem um dos processos mais importantes para o tratamento de nossa estrutura mental, para implementarmos, tempestivamente, uma Revolução Cognitiva nas novas estruturas mentais que estão por vir e que requerem uma nova Visão Sistêmica da Vida, como bem enfatizaram Fritjof Capra e Pier Luigi Luisi.

Sabemos quem muitas das características que afligem nossa forma de ver o mundo sempre existiram na estrutura Sapiens em diversos matizes e suaves nuances, tendo agora entrado em hipertrofia delinquente, alarmante e mortalmente descontrolada. O problema civilizatório que real e seriamente nos aflige é, sem dúvida, o da Educação e Cultura. Aliás, como sempre foi, não há aí nenhuma novidade. O resto é pura consequência. Sem o equacionamento espiritual e sistêmico da questão da Educação e Cultura de nossa espécie que integre as dimensões biológicas, cognitivas e socioculturais e sem o abandono da veneração a crenças, a Deuses e ao Homo Sapiens, não vislumbraremos a menor possibilidade de prosseguir e concluir as etapas de nossa evolução antes da próxima extinção em massa. Aí seremos a espécie perdida.

Nossa espécie desaparecerá do cenário, sem dúvida, ao continuarmos com taxas crescentes de inadaptabilidade às mudanças que estão ocorrendo. É oportuno relembrar que nosso desaparecimento em nada afetará o Universo e nem mesmo provocará a mínima ranhura na superfície de nosso vizinho astro, a Lua.

Homo sapiens sapiens

Esse é o exercício deste ensaio, a fim de nos alertar da necessidade de nossa Metamorfose (a já mencionada Constante Universal que interfere em todos as estruturas do Universo) em tempo que permita a modificação exponencial de nossa estrutura biológica antes da próxima extinção em massa que vem por aí. A nossa atual estrutura caminha em direção a estruturas mistas ou híbridas (orgânica e inorgânica) e, posteriormente, para estruturas puramente inorgânicas (estruturas já superinteligentes e hiperautoconscientes) e espiritualizadas, que permitam seu Êxodo para o espaço. Ou ainda em direção a transformações em estruturas mais exóticas que hoje não conseguimos nem vislumbrar. Já não somos resultados de inúmeras metamorfoses de estruturas complexas biológicas e até mentais que ocorreram no passado desde o Cambriano (500 milhões de anos) até o Paleolítico inferior (70 mil anos)? Quantas já aconteceram anteriormente em diversas estruturas desde o surgimento de organismos unicelulares sem núcleo (3,8 bilhões anos) até os organismos unicelulares com núcleo (1,5 bilhão) e os multicelulares (550 milhões de anos)? Estamos no momento deflagrando novas e imprescindíveis mudanças em nossa estrutura atual que nos prepararão para a nova fase da existência. Ressaltamos que a vida na Terra se encontra em colapso, já apresentando alguns sintomas que o evidenciam, sendo nossa Metamorfose uma transição esperada. A atual estrutura biológica perdeu potencialidades, já tendo rendido quase tudo de seu potencial.

Meu caro leitor: não temos realmente as respostas para esses questionamentos, mas temos imensas e curiosas dúvidas a respeito do tema que apresentamos. Vamos a elas com paciência e determinação, lembrando que é uma estultice espiritual não enfrentarmos os desafios que estão à nossa frente, alterando nossas antigas convicções e narrativas, para a benção de nossa redenção.

O que virá depois de nosso arcaico, insano e Insustentável *Homo sapiens sapiens*? Ou você continua achando que o psicopata *Homo sapiens sapiens* é realmente o pináculo da evolução, uma perfeição no Cosmo? É bom refletirmos sobre o tema.

Como tudo no universo, a vida na Terra tem uma duração flexível e, até agora, desfrutou de uma ampliação de sua expectativa. Só que a expectativa de vida parece estar atingindo o prazo de validade da espécie e também das atuais estruturas biológicas que habitam este Planeta, pelas inúmeras razões que vamos considerar. Parece que a Metamorfose já se encontra em pleno andamento.

O impacto humano, da atual era geológica denominada de Antropoceno, já é devastador. Tudo indica que não poderemos suportar o peso de 10 bilhões de seres humanos mesmo antes de 2050, contando com insuportáveis 3 bilhões de miseráveis e outros tantos bilhões de ignorantes cheios de ornamentos quando enfrentaremos uma derradeira transição antropológica, apontada pela paleoantropóloga Silvama Codemi, em seu recente livro *As últimas notícias do Sapiens*. Enquanto ela afirma que o mundo digital já foi escolhido, estamos aqui a apresentar a hipótese (descrita acima) de que as estruturas mistas ou híbridas, orgânicas/inorgânicas, e as estruturas puramente inorgânicas, digitais, inteligentes e autoconscientes estão agora sendo escolhidas na aleatoriedade da evolução, na alvorada da próxima Metamorfose. Os burgueses humanos estão saindo do palco. Os representantes dos deuses, os da foice e do martelo e os do dinheiro, estão a minguar. Os insaciáveis consumidores do supérfluo e os empreendedores modernos corruptos estão estrebuchando, sacudidos em suas desvairadas crenças ao perceberem que nunca atingirão a meta da utopia infinita, porque no mundo tudo é finito por essência, por natureza. Crescer sempre é inviável e ter muito é nocivo e desnecessário. Mudar sempre é possível, conforme nos ensina a natureza, e isso é o que chamamos de Felicidade. Outros tempos estão chegando com a eminente Metamorfose, com a chegada da Singularidade, como sugeriu o pensador moderno Ray Kurzweil. A Singularidade, uma nova estrutura complexa inorgânica que surgirá antes da dizimação de nossa biota, terminará por substituir a estrutura humana, de forma bem mais rápida do que podemos imaginar, talvez de forma análoga àquela que substituiu os primitivos macacos pelo homo sapiens.

Vamos abordar esse tema sem nenhuma inclinação para a verdade, para o profético e nem para a narrativa de ficção científica. Já nos referimos acima aos eventos de metamorfoses ocorridos no passado da Terra que viabilizariam a alvorada da Metamorfose que deu origem às estruturas biológicas inteligentes e autoconscientes. Tais estruturas, entretanto, já estão *démodé*. Carecem de mudança.

Assim, eu os convido para uma viagem cósmica espiritual. Vamos lá, divinos perdigotos cósmicos criativos, mentirosos e inconfiáveis, como se fossem agentes do demônio, e, agora, já desastrados devastadores da Terra, mas, antes de tudo, muito esperançosos em continuar nossa navegação otimista nas ondas de novos mares desconhecidos que nos revelará melhor o Amor e o Bem, a quintessência do admirável mundo novo, o que está a vir por aí.

O AUTOR

"Esperamos que o texto tenha mais perguntas do que respostas para questões demasiadamente difíceis."

Paul Davies

PARTE I

ESCALAS E ABSTRAÇÕES

CAPÍTULO 1

ESCALAS

"O homem, com todas as nobres qualidades, ainda traz em sua estrutura corporal a marca indelével de sua origem inferior.", Charles Darwin

A pesar dos inquestionáveis avanços no conhecimento da evolução da humanidade, da estrutura do *Homo sapiens sapiens* e das mais recentes descobertas sobre fenômenos do Cosmo, continuamos sabendo muito pouco até mesmo sobre acontecimentos que ocorrem nas escalas mais próximas de nós. Nessas escalas de percepção próximas, podemos nos aventurar a fazer algumas especulações, porém, em outras escalas e dimensões mais distantes, nós somos incapazes de sentir ou perceber qualquer espécie de manifestação. Somos uma diminuta escala, sendo as demais, infinitas, totalmente invisíveis.

Nessas escalas de diferentes dimensões e de âmbitos distintos dos nossos, não temos a menor ideia sobre as respostas às questões que formulamos acerca do Universo, e possivelmente, nem sejamos capazes de formulá-las, o que é ainda mais assustador. Se sabemos muito pouco a respeito das escalas distintas da nossa e se mal somos capazes de formular questões adequadas a essas espécies de questionamentos devido à nossa incapacidade estrutural, imagine o delírio de nos julgarmos capazes de entender de deuses.

Será que os fenômenos ou nossas leis da física são realmente iguais – ou mesmo parecidas com – às de outras escalas, mesmo que sejam nossas vizinhas ou até bem próximas? Podemos levantar dúvidas a esse respeito. Poderiam a vida e a consciência ter distintos significados em outras escalas? Como

Homo sapiens sapiens

57

disse Richard Panek: "Tudo é mesmo oculto... O que vemos é o que não é?... Tudo é feito de algo que não sabemos o que é... Tudo é uma sombra". Vivemos de costas para a entrada da Caverna de Platão, só vendo sombras.

Mesmo assim, a respeito de deuses, demônios, almas, certezas, liberdade, verdades, realidades e sobrenatural, nós, humanos, costumamos e continuamos a nos julgar muito entendidos. Julgamo-nos grandes conhecedores de tudo isso, até mesmo de dimensões transcendentais. Vale a pena meditar sobre esse tema para não ficarmos demais acomodados com as lendas, pois sempre daremos um jeito de encaixá-las em nossas difusas e limitadas escalas de percepção. E, por isso, continuamos meio enlouquecidos.

Para continuar na busca (infindável) de pistas e hipóteses dos enigmas da Vida, da Inteligência, da Autoconsciência e de deuses no Universo, é relevante evitarmos certezas, verdades e generalizações e nos concentrarmos em questionamentos para tentarmos perceber alguma coisa.

Será que a eternidade, a imortalidade e o infinito são conceitos válidos fora de nossas escalas de percepção, fora da capacidade de nossas limitadas e imperfeitas mentes?

Veremos que somos capazes, com continuada e mais ampla percepção de outras escalas e de dimensões do processo evolutivo, de tentar nos livrar das crenças, miragens, egoísmos e de outras tantas corrupções atávicas herdadas da estrutura de nossos ancestrais arcaicos.

Se a História do Universo fosse idealmente comprimida em um período de um ano de duração – que representaria cerca de 13,7 bilhões de anos desde o início da formação do Universo, com o Big Bang, até os dias de hoje – os primeiros mamíferos teriam surgido no dia 25 de dezembro; a extinção dos dinossauros teria ocorrido no dia 29 de dezembro; os primeiros humanos teriam aparecido por cerca das 23h30 do dia 31 de dezembro; as primeiras civilizações, às 23h59m, e o primeiro homem na Lua, às 23h59m59s[7]. Imaginem quantos acasos fundamentais à nossa existência aconteceram de 1º de janeiro até a manhã de 31 de dezembro, na evolução desse planeta. Será que os acasos estavam e ainda estão no projeto divino? Nesse caso, o *Homo sapiens sapiens* poderia ser mesmo algo determinístico, uma espécie de meta do Universo? Isso é minimamente provável, para sermos bem cautelosos. Além de tudo, somos muito recentes e cheios de impurezas para pretendermos possuir alguma culminância ou determinismo no Cosmo.

Impregnados de ilusões, durante os segundos finais do último dia simbólico no qual nos encontramos, nós nos consideramos o propósito do Universo, seu *objetivo*, o epílogo da festa. Nós nos vemos como um resultado grandioso, a única espécie provida de razão e alma, e, portanto, os legítimos controladores e proprietários da Terra, como exposto no Gênesis. Só que não estamos, como vimos na escala adotada, nem de leve, no fim da evolução do Universo, apesar do Sistema Solar ter aparecido há cerca de 9 bilhões de anos após o Big Bang. Ainda temos muito tempo pela frente e muitos acontecimentos imprevisíveis irão ocorrer. Vale a pena lembrar que, para o *Homo erectus* (de um milhão de anos atrás), nós já seríamos inimagináveis. E o que está por vir? Somos uma mera etapa! Hoje, tudo parece indicar que não somos o propósito do Universo. Ainda temos muitos bilhões de anos pela frente e infinitas transformações estão para ocorrer.

Os novos atores, surgidos naqueles mencionados derradeiros simbólicos minutos, continuam ainda enlouquecidos e atormentados pelas confusões geradas por nossas imaginadas escalas. Nossas capacidades físicas, emocionais e cognitivas continuam sendo moldadas por nosso antigo DNA – já arrumado em estruturas unicelulares com núcleo há mais

---

7 *Exploring Evolution*, Michael Alan Park. Vivays Publishing Ltd, 2012.

de dois bilhões de anos –, responsável pela falta de sintonia entre o que pensávamos sobre a humanidade e o que parece que realmente somos. Há algo de insano em nossa estrutura.

Deus não pode ter nada a ver com essa loucura cromossômica humana, nem mesmo com a Seleção Natural, com o "Design Inteligente" ou o Criacionismo. Seria curioso supor que Ele, o Criador, onipotente e onisciente, teria sido o artífice e o premeditador de nossa insanidade, aquele que criou a infração e o pecado, utilizando-se da serpente e da maçã. Disse um pensador: "Somos então oriundos de dois contraventores – Adão e Eva –, de um assassino – Caim – e de um cadáver – Abel" (Leandro Karnal). Será que a infração e o pecado são desejáveis por conferir em autoridade essencial a Deus, tendo assim Ele virado Juiz Celestial para nos punir? Só confessando os pecados, suplicando por compaixão e misericórdia, e pedindo purificação na paz eterna, encontraríamos alguma forma de redenção. E assumimos que oferendas e louvores ao Juiz, o Todo Poderoso, também podem muito ajudar na solução de nossos delitos. Sabemos muito bem que o *Homo sapiens*, "a espécie decaída de esplendida animalidade", como mencionou Dany Robert Dufour, gosta de corromper com promessas, propinas, orações, temores e sofisticados subornos até mesmo de entidades celestiais.

Seria um disparate ou contrassenso a noção de um Criador que fosse eterno, já que a noção de eternidade subentende a não existência de um início e nem de um fim? Se a eternidade não compreende começo ou término, pergunta-se: por que a necessidade de um Criador? E, se a eternidade não existe e tudo realmente teve um começo, o que faria Ele antes da Criação?

Já é praticamente incompatível continuar o processo evolutivo da Complexidade, da Inteligência e da Autoconsciência, como o conhecemos, com a humanidade mantendo a ancestral estrutura de tempos remotíssimos. Estamos necessitando, novamente, de uma metamorfose estrutural, como já aconteceu tantas vezes no Universo.

Apesar de ser vício de nossa "alma" ter a pretensão escandalosa da eternidade e a de sermos filhos de Deuses, somos alertados por genes altruístas (em minoria), em momentos iluminados, de que nossa espécie, como todas as demais, está saindo inexoravelmente *de moda*. Parece ser utópico o encontro final com Ele, o Perfeito e eterno Senhor Cósmico do Multiverso, que parece existir temporariamente como ilusão, na escala de nossa minúscula mente.

Sempre vivemos em busca de soluções para os enigmas que nos atordoam, criando, inventando e forjando hipóteses e modelos. Esse ensaio é uma *pista*, forçosamente momentânea e transitória, nada mais do que isso, não tendo, assim, nenhuma intenção de predizer o que pode acontecer. Não está a profetizar nada como veremos. Seu objetivo é interpretar ideias e alguns enigmas que nos inquietam sobre a origem, evolução e destino do fenômeno da Vida, da Inteligência e da Autoconsciência, que deve estar esparramada no Multiverso.

Hoje é como se fôssemos portadores de uma doença genética incurável, de um genoma impregnado de 23 pares de cromossomos com genes da insanidade, que nos têm impedido de perceber nossa cumplicidade com a sexta extinção em massa, que rapidamente se aproxima, acredito eu, para nossa redenção. Esses genes da loucura estão superando os genes altruístas, e parece que não dispomos de antídotos para inverter a tendência dessa balança.

Temos esperança de poder continuar a participar do processo evolutivo crescente da Complexidade, Inteligência e Autoconsciência, que aqui eclodiu e, possivelmente, também em outras escalas. Isso nos alerta para a inevitável e radical mudança de nossa estrutura física e cognitiva. Esse processo está tentando refinar nossos atuais paradigmas, que já andam bem arcaicos e fora do prazo de validade – econômicos, políticos, sociais, jurídicos, religiosos, tribais e científicos.

No momento em que estamos enfrentando altíssimas taxas de aceleração exponencial nas mudanças de nosso ritmo de conhecimento científico e tecnológico, as taxas de *adaptabilidade* humana (tanto em escala social quanto individual) a essas mesmas mudanças vêm crescendo a níveis bem mais lentos. Esse fato cria uma desarmonia também exponencial entre esses ritmos. Precisaremos de tempo e competência para reconfigurar essas diferenças e harmonizá-las.

Já estamos orbitando, caoticamente, uma região crítica de desarmonia. Antevemos a iminência de um momento de bifurcação sistêmica, com um novo leque de opções de estruturas e processos. Em um extremo do leque, vemos a convergência das estruturas se encaminhado para um colapso, e, no outro extremo, convergindo para a eclosão de uma estrutura emergente, revolucionária, com novas e inusitadas características, como prelúdio de uma *Singularidade*. Dentro desse leque, temos ainda miríades de opções aleatórias, sutilmente conectadas em escalas distintas.

Espera-se que a próxima mutação do nosso fenômeno, fronteiriça do citado ponto de bifurcação, seja simultaneamente biológica e não-biológica (orgânica e inorgânica-híbrida), como já é, de certa forma, a atual tendência de nossa espécie, com graus distintos de misturas.

Há indícios de que, em seguida e simultaneamente, daremos um passo adiante, em nova bifurcação. Um passo que trará à luz uma nova hiperinteligência com hiperautoconsciência puramente inorgânica, pronta para superar nossa natural inadaptabilidade às novas circunstâncias emergentes. Estaremos, assim, prontos a alcançar o Êxodo da Terra, antes do Armagedon, quando a sexta extinção em massa finalmente se concretizar.

Daquele ponto de bifurcação, da transformação de nossa espécie – nossa epifania –, eclodirão novas estruturas orgânicas, orgânicas-inorgânicas (mistas) e as puramente inorgânicas, que superarão as atuais já em fase de obsolescência por insanidade evolutiva. Como ocorreu de maneira análoga com nossos ancestrais *australopithecus*, que foram superados pelos

Homo habilis e, em seguida, pelo Homo erectus, originando, segundo alguns cientistas, as diversas espécies de *Homo sapiens* – *Homo sapiens floresiensis, Homo sapiens neanderthalensis, Homo sapiens desinovano e o Homo sapiens sapiens* – este sendo o último que restou do cruzamento das espécies e da Seleção Natural.

Para ilustrar melhor os aspectos de nossas insanas abstrações, tema de nosso próximo capítulo, vamos relembrar alguns episódios aterradores. Por exemplo, o ocorrido a 11 de setembro de 2001, quando muitos homens bem treinados e enfurecidos por fanático extremismo religioso e racista participaram do assassinato de cerca de 3 mil cidadãos indefesos em Nova Iorque. Lembremo-nos dos vícios das guerras mundiais e de milhares de conflitos locais que não cessam e que são concretas tentativas de ataque suicida da nossa espécie, que deceparam e dizimaram milhões de seres esperançosos com a existência. Tudo isso foi e é realizado em nome da *liberdade, de verdades absolutas de cada grupo e de seus deuses.* É importante recordar que, em 2015, cerca de 500 mil homicídios foram cometidos por raiva, ganância e amor; foram computados 800 mil dependentes químicos e um milhão e 400 mil indivíduos com a existência interrompida por acidentes de trânsito. Olhem para os 800 mil suicídios ocorridos no planeta naquele ano, e recordem as 80 mil mortes que ocorreram em Nagasaki, em 1945, com a explosão da bomba atômica. Abra, leitor, os jornais que nos deixam estarrecidos com tantos descalabros, contendas e vandalismos entre os mais diversos grupos, resultado de nossa Insanidade e de nossas misturas de escalas.

Vamos encerrar essa fase da existência de nossa estrutura supostamente inteligente e autoconsciente com louvores, apesar dos desatinos – fase na qual fomos exímios contadores de histórias, criadores de mitos, destruidores e criativos e, principalmente, misturadores confusos de escalas e capazes de abstrações das mais variadas, conforme veremos adiante.

Homo sapiens sapiens

CAPÍTULO 2

ABSTRAÇÕES

"Se houver qualquer risco para a trajetória humana, ele não reside na sobrevivência de nossa própria espécie, mas na concretização da suprema ironia da evolução orgânica: no instante em que alcançou o conhecimento de si própria por meio da mente humana, a vida condenou suas mais maravilhosas criações."

Edward O. Wilson

Costumamos elaborar abstrações, ilusões, miragens, mitos, crenças e religiões, deuses e até mesmo ciência, dentro dos limites escassos da nossa escala de percepção. E, na medida em que alargamos o espectro de nossas percepções, até mesmo em variadas escalas, alteramos as nossas visões do mundo.

Veremos neste capítulo que, com a progressiva ampliação de percepção de outras dimensões, de diversas manifestações, pouco a pouco vamos nos livrar das inúmeras abstrações e miragens que nos afligem e que corrompem as relações de todos os tipos e naturezas, desde que despontamos nas savanas africanas. Este capítulo vai exemplificar os delírios decorrentes das nossas miragens e abstrações, e apontar como poderemos nos livrar, por algum tempo, das alucinações políticas, econômicas, religiosas, até atingirmos uma transformação radical da nossa estrutura atual.

Tempo

Quando começamos a falar sobre milhares de anos à frente, ou para trás, perdemos completamente a noção do fluir do tempo. Mesmo quando nos referimos a intervalos bem mais reduzidos, cem anos que sejam, nossa capacidade de percepção já se encontra bastante diminuída.

A percepção de acontecimentos e narrativas mais separados no tempo vai se desvanecendo pela natural perda de nosso discernimento temporal. A capacidade de percepção temporalmente estendida (futuro ou passado) é, essencialmente, de natureza biológica porque não interessa à sobrevivência e à reprodução de uma espécie a percepção de intervalos de tempo por demais extensos ou curtos. O que me interessa biologicamente se algo está acontecendo na estrela Sírius, a 8 anos luz de distância[8] ou mesmo o que aconteceu a Vasco da Gama ao deixar a Europa em busca de novas terras?

Com modesta confiabilidade, podemos arriscar alguns tipos de previsões sobre os rumos do desenvolvimento das sociedades nas próximas décadas, mas realmente somos ainda muito fracos para perceber até o que faremos realmente ao fim do mês.

A capacidade de prever também depende imensamente dos inúmeros rumos possíveis, circunstâncias e características decorrentes das possibilidades que os acasos nos oferecem a cada tipo de situação. Vale lembrar que a mente humana teve sua mais recente transformação e calibragem aproximadamente entre 300 mil anos e 70 mil anos atrás, desenvolvendo-se para sobreviver e se reproduzir naquele ambiente do continente africano, espalhando-se em seguida por toda a Terra. Assim, nossa capacidade de percepção muito depende das sensações que desenvolvemos no decorrer de nossa existência.

Tivemos excepcional e profunda expansão do córtex cerebral naquele período, por inúmeras circunstâncias, e acabamos sendo sorteados pela cega seleção natural para conseguir, pouco a pouco, ampliar as nossas escalas de percepção. A capacidade de lembrar o passado com imagens, memórias e narrativas, a capacidade de sentir as excitações do presente e

---

8 Sirius fica a cerca de 80 trilhões de quilômetros da Terra. Um foguete que navegasse a 50 mil km/hora levaria por volta de milhões de anos para atingir esse astro).

de ter expectativas do futuro depende de cada estrutura com suas específicas necessidades bioquímicas e culturais, assim como dos limites das percepções de escalas de cada estrutura analisada. Na nossa própria espécie, dentro de suas naturais fronteiras, essas capacidades dependem ainda da idade, do nível de inteligência, da cultura e do interesse de cada indivíduo.

Nossa percepção temporal foi aprimorada pela evolução de nossa capacidade cognitiva, atingida há cerca de 70 mil anos, mas que continuou tendo progressivo aperfeiçoamento em seu "*software* de aplicação". O atual código de aplicação já nos levou até a perceber que o tempo, o corruptor mestre de todas as estruturas, não é linear e nem absoluto, pois depende da escala em que é medido. Como demonstrou Albert Einstein com sua teoria da relatividade restrita: "O agora de uma pessoa é, simultaneamente, o futuro e o passado de outra, desde que uma delas esteja simplesmente se movendo em relação à outra". (...) "O tempo e o espaço, em si mesmos e por si mesmos, são sombras de algo muito mais misterioso e elástico, chamado espaço-tempo" (...) "e passa diferentemente de acordo com a relativa velocidade entre os corpos e da atração gravitacional entre eles".

Nada é absoluto. Tudo depende de referências, das escalas em que os fenômenos são observados e de nossas abstrações. É conveniente perceber que o passado não tem por objetivo um futuro específico, o que torna as previsões mais complicadas.

"O passado não atua para produzir um presente específico" (Richard Dawkins).

O passado constitui importante causa que, associada a inúmeras e imprevisíveis circunstâncias, pode resultar em um específico presente. O presente eclode pelo estofo do passado, mas com o tempero das circunstâncias ou dos acasos do próprio presente, invalidando previsões aparentemente confiáveis. O futuro é sempre surpreendente! Assim podemos intuir que o *Homo sapiens sapiens* não se constituiu em alvo evolutivo nobre ou superior, não podendo ser a exuberância cósmica que lhe é creditada. Colocamos em xeque a postura de soberba a respeito de nossa evolução.

Nossas considerações sobre o desenrolar da vida são muito dependentes das características da escala de percepção temporal utilizada em cada tipo de estrutura e acontecimento. Para as montanhas do continente sul-americano, que se deslocam cerca de um centímetro por ano, os humanos são ultrarrápidos, quase invisíveis; para os mosquitos, somos verdadeiras estátuas. Tudo é relativo, pois nada é absoluto.

> Para animais minúsculos, como bactérias, que nascem, crescem, procriam e morrem em questão de minutos, os seres humanos devem parecer muito lerdos. Para as bactérias, *somos tão vagarosos quanto as estrelas o são para nós, ou tão estáticos como nos parecem as montanhas e os continentes. Se nós percebêssemos apenas as transformações que ocorrem em intervalos de tempo muito longos, veríamos um prédio em construção crescer*, mas não perceberíamos os operários que, movendo-se muito rápido, seriam quase invisíveis... Um milésimo do nosso segundo é uma eternidade para o mundo atômico. Nossos séculos não passam de alguns milissegundos no relógio geológico da Terra, e não passam de bilionésimos de segundo no relógio do universo (*UCHÔA, 2013*).

Além do mais, a nossa percepção do tempo também é ilusória. Quando olhamos para o céu não estamos vendo o presente, mas, sim, uma superposição de passados. A luz da estrela Sirius que você está vendo nesse instante foi emitida pelo astro há 8 anos e só agora chegou a você. Por sua vez, a luz que você está vendo da estrela Antares, já percorreu 600 anos desde sua partida daquele astro. Todas as luzes visíveis no céu saíram de cada estrela em momentos distintos e nós temos a sensação de que tais fenômenos são simultâneos. Ilusão! A ilusão de simultaneidade tornou as previsões dos fenômenos bastante complicadas.

Você não percebe a luz das estrelas que estão nascendo agora à distância de 5 anos-luz, pois sua cintilação ainda não teve tempo de aqui chegar. Portanto, para você, elas ainda não existem. Por outro lado, você continuaria enxergando a luz de estrelas mortas, cuja cintilação continuaria chegando até nós.

Tudo aquilo que estamos vendo no nosso agora não é um fotograma instantâneo de um presente, mas, sim, uma superposição de passados. Não passa de uma ilusão. Assim, não nos é possível assegurar coisa alguma. Todas as suas conclusões sobre o que vemos não passam de meras ilusões. É conveniente saber isso para evitarmos a ilusão das certezas absolutas que provocam crises, julgamentos precipitados, desavenças e assassinatos. Tudo resulta de impressões, de ilusões, de mistura de nossas escalas. Talvez o que chamamos de sabedoria seja resultado das ilusões criadas pelas escalas que somos capazes de perceber. Fomos feitos para percebermos somente fenômenos próprios de nossas limitadas escalas. Por acaso você se importa com os acontecimentos fundamentais que ocorrem neste instante nos *quarks* dos átomos de hidrogênio no gás interestelar que estão formando uma nova estrela nas proximidades do planeta mais próximo da estrela Vega? Estamos nos importando com esses fenômenos tanto quanto nos importamos com os crimes, desavenças e acusações vistos na televisão.

Os mitos e as crenças que desenvolvemos nos iludem com a possível percepção do invisível, do atemporal. Os pensamentos são frágeis e perigosos, por serem abstrações específicas de nossa dimensão.

Homo sapiens sapiens

Espaço

De forma semelhante, vamos perdendo exponencialmente a noção de distância, quando começamos a nos referir a milhares de quilômetros. Mesmo intelectualmente, não dispomos de condições para imaginar e sentir a distância da Terra à Lua e nem mesmo o diâmetro de nosso planeta. Saber essas coisas não interessa ao nosso cotidiano, à nossa escala.

É muito comum nos imaginarmos ocupando o centro de tudo. Os humanos continuam geocêntricos, antropocêntricos, sempre reverenciando o Eu: egocêntricos. Em busca da utopia de nossa totalidade e grandiosidade, misturando escalas como um *barman* mescla bebidas numa coqueteleira, tornamo-nos, paradoxalmente, também ultrassubservientes e humildes, mas com enraizada consciência solipsista, que reduz toda realidade ao estado pensante do indivisível Eu. Desse modo, tudo se torna produto da minha imaginação, fonte de todo o significado da vida. Simultaneamente grandiosos e humildes, desenvolvemos muitos truques para nossas magias no decorrer da vida.

Mas seremos mesmo o centro? Ou Deus é o centro? Ou será que o centro é uma abstração? Há muitas possibilidades: cosmocentrismo, geocentrismo, heliocentrismo, biocentrismo, antropocentrismo, cristocentrismo, teocentrismo, datacentrismo e tantos outros "centrismos". Centro é o que não falta à nossa criatividade, que propõe, inclusive – e com fervor –, a existência mítica de policentros. O centro de uma esfera nos parece bem identificado, mas os centros político, econômico, religioso e familiar não são *a priori* identificáveis. São referências arbitrárias em função dos interesses de grupos de cada época. Tudo indica que o Universo parece não ter mesmo centro algum. O centro, como tantos outros conceitos, é uma abstração, visto que está sempre mudando. O centro poderá ser o ponto onde se encontra o observador. Se você habita uma ilha no oceano, você tem a sensação de que se encontra em um centro, de forma similar ao que sente o habitante de uma tribo ou de uma cidade que acha que se encontra na Capital, no centro.

Vale ressaltar que atualmente não nos "sentimos" centrais no Cosmo, por mais que sejamos tentados a aventar tal hipótese.

A espécie humana poderia ter o privilégio cósmico de ser central ou especial, em escala universal? Se tiverem ainda alguma dúvida a respeito disso, sugerimos uma olhada nas imagens do universo obtidas pelo telescópio espacial Hubble ou mesmo uma espiada, a olho nu, numa noite com atmosfera transparente, sem a poluição das luzes da civilização, sem a presença da Lua, com o céu apinhado de estrelas. Ao olhar esse cenário, é impossível ter a sensação de nos sentirmos o centro. E atentem que, a olho nu, conseguimos apenas ver cerca de 3 mil estrelas que estão dentro de nossa galáxia com cerca de 200 bilhões de estrelas.

A sensação de centralidade foi muito estimulada no decorrer do tempo pelo excesso de fé e entretenimento que tendem a focar o indivíduo em si, levando-o a perder a noção sideral de pertencimento ao Todo. O conceito de ser central é egotista. O humano, por distração demasiada ou por adoração descontrolada, acabou se esquecendo de que existe um céu salpicado de luzes "celestiais", sem centro algum, o que deveria estar nos encantando. Escravos consumistas, liberalistas cibernéticos, estamos nos ausentando do processo cósmico da consciência universal nascida aqui na Terra. Estamos mais interessados numa bela vitrine ou numa taça de vinho encorpado do que no céu, no sideral, que é nossa origem. É mais um sintoma escandaloso de nossa Insanidade egocêntrica, que nos desconecta do universo.

O espaço é finito ou infinito? Se for finito, vou me suicidar, pois tenho claustrofobia, mas, se for infinito, também vou me matar, pois tenho agorafobia, como comentou o astrofísico Hubert Reeves. Tudo depende de nossas capacidades físicas e bioquímicas, de nossas percepções e imaginações físicas e divinas. Tudo depende do observador e das escalas escolhidas. Nada é verdadeiro, nem certo. Entender algo como definitivo é insano. Tudo parece ser mesmo um bando de especulações, até as

Homo sapiens sapiens

divindades. A realidade é uma ilusão, mas, para ser menos radical, prefiro denominá-la como utopia ou abstração. Tudo depende de nosso mundo perceptual e de nossas escalas e abstrações. Por isso, é bom lembrar, para nossa reflexão, de que tudo aquilo que não está sujeito à refutação não serve para nada, como disse o filósofo Karl Popper. Por isso, devemos ter muito cuidado com as "verdades", "certezas" e "dogmas", que vivem se alterando no escoar do tempo. Não são abstrações de nossa mente, e sim ilusões.

Outras Dimensões

Quando tentamos extrapolar nossas percepções obtidas nas dimensões de nossa escala de espaço, tempo e complexidade para outras escalas, entramos em tormentosos delírios, se não formos muito cuidadosos. Ficaremos meio perdidos, insanos, dissipando significados, apelando para crenças, ocultismo, drogas ou vaidades para atrair a atenção dos outros. São bastante comuns as ocorrências de transtornos e confusões mentais provocadas por ilusões ou misturas desarmônicas nos âmbitos de escalas distintas. Por isso, precisamos muitas vezes do acompanhamento de um psicanalista para limpar um pouco a nossa perturbada mente.

É bom relembrar que só começamos a considerar a multidimensionalidade do espaço e a relatividade do tempo no começo do século passado, com a Teoria da Relatividade. Nada é absoluto e dura para sempre. Ninguém dedica mais atenção ao geocentrismo de Ptolomeu ou mesmo ao heliocentrismo de Copérnico.

O filme a que você está assistindo na tela de um cinema ou TV não é algo contínuo nem real. É uma sucessão muito rápida de imagens estáticas (fotogramas), de específicos instantes de tempo, em nossa própria escala espaço-temporal, que, passando velozmente, nos dá a sensação de algo contínuo. O que vemos em um filme são miragens. Aquele contínuo espaço-tempo, aquele suave fluir a que assistimos na tela, é para distrair, é uma farsa, um devaneio, um divertimento. Não acredite naquilo que pensa que vê ou pensa que sabe.

Viver com fantasias sempre nos foi muito prático, muito útil. Afinal, não continuamos acreditando em astrologia, no livre-arbítrio, nas constelações, na liberdade, em calendários e nas estrelas cadentes? Muitos não acreditam em cristais, em xamãs e na Teoria da Relatividade? Que diferença faz para o dia a dia? Estamos mesmo interessados é na minha miniescala, em votar em um Lúcifer, jantar com discípulos bebericando e fazer compras inúteis no shopping.

Convivemos com contos de fadas, Papai Noel, Coelhinho da Páscoa e contos de bruxas, que transformam príncipes em sapos ou abóboras em carruagens para nos conduzir ao paraíso. Deliramos com truques em palcos, que nos deixam a sensação de mistério e que nos fazem, muitas vezes, imaginar que os ilusionistas têm poderes sobrenaturais; desejamos nos convencer pela fala de parlamentares e imperadores mágicos, que a paz e a prosperidade voltarão a reinar e que eles são a expressão da bondade; e, quando a aflição aperta demais, nos deliciamos com mensagens de salvação que nos acusam de pecadores, na vã tentativa de encontrar um culpado por nossa desventura. Iludimo-nos até com a democracia e a liberdade, nada além de abstrações, coisas que não existem.

Tudo que necessita de uma varinha mágica, de explicação sobrenatural ou de deuses, demônios, espíritos e messias costuma ser uma enorme ilusão, um embuste incontrolável. Só vemos mesmo o que está em frente ao nosso nariz e no horizonte atual de percepções de nossa escala. E olhe lá... É prudente desconfiar até delas.

Porém, não devemos nos esquecer de que somos resultados de nossas miragens e ilusões, resultantes de nossa abissal ignorância. As miragens foram sempre muito úteis para o nosso convívio e para colaborar com nossa desejável evolução e transformação. Podemos imaginar fenômenos ou crer em entidades sobrenaturais que auxiliam o nosso mundo psíquico, nosso imaginário – religiões, crenças e mitos –, mas não devemos, por prudência, lhes atribuir significados absolutos.

Homo sapiens sapiens

Não continuamos acreditando, ingenuamente, que temos livre arbítrio? Afinal, a Ciência já demonstrou que nosso livre arbítrio é tão somente uma abstração dos nossos de desejos decorrentes e processos bioquímicos naturais. Será que alguém, em sã consciência e lucidez, que tenha alguma percepção dos processos da vida, acredita, de fato, no livre-arbítrio? De fato, somos meros robôs bioquímicos.

O "livre-arbítrio", como ressaltou Yuval Harari, poderia ser entendido como a liberdade de se fazer o que desejar, mas, se "arbítrio" for entendido por condicionado ao desejo, que é um sentimento gerado e controlado por implacável estrutura bioquímica, algoritmos e narrativas culturais, os seres humanos não desfrutam de fato de um "livre-arbítrio". É por isso que devemos ter muito cuidado com nossa narrativa liberal. Enfatizamos que estruturas "livres" não existem no Multiverso. Somos produtos de metamorfoses contingentes, assimetrias, aleatoriedades e desordem resultantes da desarmonia e dos desequilíbrios nas multiescalas de dimensões que mal notamos. Todos os instrumentos da vida, de quaisquer escalas, estão sempre em infinitos refinamentos e não sabemos se é para melhor ou pior. Continuamos sem saber o que é "pior" ou "melhor", se não tivermos alguma referência arbitrária em nosso processador mental.

Você já percebeu que as cores são aparentes, dependendo de como receptores neurais da retina respondem, bioquímica e eletricamente, à excitação de uma determinada frequência de radiação eletromagnética enviada ao cérebro? O cérebro identifica frequências e as traduz como "cores" e nuances. Cada "cor" estimula uma sensação individual, bioquímica, uma sensação sobre uma possível realidade que é diferente, mesmo minimamente, para cada estrutura animal.

Cada um vê (sente), de um jeito específico, uma frequência de finíssima faixa de radiação eletromagnética ou uma mistura delas. O azul costuma nos dar paz, tranquilidade e harmonia, e o vermelho excita a paixão, a energia e o ardor. Mas é bom lembrar que a paz não é azul e nem tem nada a ver com o azul; e a energia não é vermelha e não tem nada a ver com o vermelho. São abstrações das escalas de cada mente, naturalmente. Para complementar, é bom relembrar que o vermelho é fisicamente mais frio que o azul, o que contraria as expectativas de nossas ilusões. É só observar as irradiações que vemos em nossos fogões – a chama azul é mais quente do que as chamas amarelo e vermelha.

De forma análoga, uma mesma música pode lhe provocar paz ou ódio, amor ou coragem, nada mais do que surtos hormonais distintos das estruturas complexas biológicas. A música é outro tipo de sensação de nossa estrutura bioquímica que responde a frequências de vibrações mecânicas. Cada animal, uma bactéria ou um ser humano, constrói suas fantasias em escalas sinfônicas diferentes. Woody Allen disse, em um filme que, quando ouvia Wagner, sentia "ímpetos de invadir a Polônia". Vejam como somos estranhos dependentes de sensações, que podem nos levar a atos de insanidade, austeridade, bravura, paixão, submissão, liberdade e, mesmo, de loucura.

Ao sentir sensações de diferentes escalas, temos de ter muita cautela para evoluir nossa capacidade de cooperação, que vem sendo conquistada a duras penas com esforço coletivo de nossos córtices, mas ainda ameaçada pelas hostilidades geradas por ilusões provocadas pelos processos bioquímicos e por nossas abstrações.

Os fenômenos vão ficando cada vez mais difusos, imperceptíveis e transcendentes. É um processo de espiritualização. É como o The Flash: sendo tão rápido, acaba invisível, desaparece. E, por desconhecimento e limitações naturais, criamos crenças atrás de crenças, sem cessar, na tentativa de explicar fenômenos, principalmente de outras escalas. As crenças vão se substituindo no tempo, de verdades em verdades, de certezas em certezas, de realidades em realidades, de emergências em emergências. Cada uma com específica duração temporal.

Durante os mandatos de cada verdade, de cada escala, principalmente quando as consideramos incontestáveis,

Homo sapiens sapiens

repelentes e absolutas, vamos nos tornando obtusos, tirânicos e prepotentes e, assim, predispostos ao vício em crimes impiedosos e santificados. A cooperação, característica espiritual muito especial da espécie *Homo sapiens sapiens*, vai se diluindo quando não sentimos as escalas alheias. Não assassinamos impiedosamente uma barata, sem sentir a menor compaixão pelo seu sofrimento ou amor pelo seu fenômeno, apenas por ela pertencer à complexidade de outra escala que não nos interessa? Será que o amor é seletivo, egoísta? Será que o amor, como o consideramos, é realmente somente um surto hormonal? Só se aplica ao que temos interesse? Você ama o asteroide Ceres, que orbita entre Marte e Júpiter? Você ama o planeta Júpiter, o escudeiro de cometas, que é um dos responsáveis por nossa existência, evitando um número incontável de colisões com a Terra? Acho que pouco nos importamos com eles.

Amamos os amigos, somos indiferentes a alguns, e hostilizamos outros tantos. Ainda não fomos capazes de amar plenamente, com os códigos do "córtex" de que dispomos. Alguns iluminados podem tentar se aproximar levemente desse objetivo, se forem dotados de cérebros e de estruturas privilegiados pela sorte, como Jesus, Ghandi e Luther King, tragicamente "por amor" assassinados. O primata não perdoa! E morre e mata por amor, fé e mitos. Os atores desse nosso enredo são simplesmente doentes mentais enquanto não desenvolverem progressivos níveis de espiritualidade em suas metamorfoses.

Um coelho, que tem certa inteligência, não pode imaginar o que é um regime democrático parlamentarista. Uma folha de árvore, ao receber pela manhã a iluminação dos primeiros raios do Sol, o que a deve deixar excitada e agradecida pela energia recebida, não pode perceber que aquele astro gigantesco é uma fornalha nuclear. Nós, com inteligência e consciência reconhecidamente acanhadas, não percebemos, ou mesmo sentimos, qualquer emoção que transcenda nossas escalas atuais.

Não nos é possível perceber, sentir e nem fazer abstrações acerca da mente de inúmeros animais. Os morcegos, por exemplo, que pertencem à nossa mesma classe, a dos mamíferos, podem navegar no escuro, em alta velocidade, por rotas aparentemente caóticas, sem colidirem e sem dispor de nenhuma sinalização de trânsito. Seus dispositivos físicos e mentais, seus algoritmos, lhes permitem aguda localização de obstáculos, o que humanos não capazes de fazer. Contudo, vale lembrar que nós, por outro lado, fomos feitos para sobreviver e nos reproduzir no ambiente das savanas africanas, predominantemente durante o dia, com respostas sensoriais específicas para cada tipo de excitação. Temos uma mente apenas em parte racional, com dependência especial e aguda da visão e do som de específicas frequências (eletromagnéticas e físicas) para nos orientar. Temos bem mais capacidade de lembrar o passado e de fazer previsões sobre o futuro do que qualquer outro animal, mas temos infinitas limitações. Naturalmente, os estados mentais dos animais que existem na Terra, estimulados pelas sensações físico-químicas (olfato, tato, paladar, audição e visão) e por suas aptidões e talentos psíquicos (com seus algoritmos especiais), são distintos para que cada tipo de espécie possa atender seus interesses, criando, assim, imagens distintas do mundo.

Os estados mentais são, portanto, variados, o que nos alerta para o fenômeno "assim é se lhe parece". Os estados mentais dos animais não são nem piores e nem melhores, são somente diferentes. O meu estado mental depende da estrutura das interconexões neurais de meu cérebro, dos meus algoritmos, da estrutura do meu processador de dados, e do banco de dados de minhas sensações. O meu pensamento, os meus valores e minha ação, por exemplo, dependem da interação daqueles elementos. Por isso, cada um tem verdades distintas. Daí, os inevitáveis conflitos. Nada é absoluto! Apenas ao tentar entender as diferenças naturais das escalas e das abstrações, poderemos alterar a nossa receita insana de administrar os conflitos que nós mesmos inventamos.

E só sentimos fenômenos muito restritos, os que estão dentro de nossos limitados horizontes, dentro de nossa escala de tamanho, tempo, espaço e complexidade, capazes de gerar nossas percepções e abstrações sobre uma possível realidade. Na escala geológica e biológica, não teria sido a natureza apressada demais na construção de nossa bioquímica e de nossos circuitos mentais? Disso decorreria essa confusão toda em nossas percepções. Só percebemos as verdades e os mitos – ou mentiras como queiram – que interessam ao código genético de nosso egoísmo e de nossa preguiça, apesar dos esforços crescentes de altruísmo e de espiritualidade que lentamente se desenvolvem em nosso córtex cerebral para a culminação de nossa próxima metamorfose.

Mal-agradecidos e Pecadores

Não percebemos e nem agradecemos o sacrifício das inúmeras estrelas supernovas quando morrem, explodindo, criando e ejaculando na galáxia os átomos constituintes de nossos corpos. E nem nos passa pela mente um mínimo de agradecimento e louvor à fina e delicada camada de ozônio, formada por acaso em nossa atmosfera, protegendo-nos das assassinas radiações ultravioleta exaladas pelo querido bom Sol, o que permitiu, afinal, o surgimento e a manutenção das estruturas vivas. E alguém já agradeceu com carinho a ocorrência das leis e constantes universais, previamente sintonizadas nos valores atuais para permitir ao Universo ser o celeiro da vida, tal como a conhecemos? Fossem elas ligeiramente diferentes (a lei que rege o campo eletromagnético e campo gravitacional, a velocidade da luz, a intensidade da força nuclear forte, unindo prótons e nêutrons, e a força nuclear fraca da radioatividade, e leis e constantes cósmicas) tudo que conhecemos seria completamente diferente, até os nossos deuses. Serão as leis de nossa ciência as únicas possíveis? E, se existirem infinitas leis e constantes físicas, existirão, então, infinitos Universos, infinitos Deuses?

Estamos aqui graças ao Big Bang e ao seu subsequente curtíssimo período *inflacionário* – período de crescimento exponencial do Universo –, que resultaram nas estrelas, que gerariam, em seguida, os átomos mais pesados do que o hidrogênio, o hélio e o lítio, de modo a permitir nossa existência. Por acaso já o agradecemos amorosamente pelo que nos fez?

Temos soberba demais ao crer em um Deus absoluto, ocupado com nossas preces, promessas, velas acesas e escalas muito específicas. O ato criativo, supostamente o mais significativo de nossas vidas, deixa-nos totalmente fora de controle, enlouquecidos e aos berros, levando-nos aos tapas, ao crime e à traição. Qual a razão do sexo ser tratado como toxicidade e tabu por muitas religiões, não sendo normal e prazeroso como o ato de respirar? Qual a razão das diversas religiões condenarem e esconderem o sexo? O sexo, em nossa estrutura biológica, é o Big Bang do ato criativo das espécies que habitam nosso planeta. Por que somente para nossa determinada espécie (*Homo sapiens sapiens*) o sexo é considerado como "pecado"? Por que os Deuses fariam essa especial distinção e discriminação com o sexo? Será por medo da Insanidade Sapiens?

Somos muito mal-agradecidos, sim! Não somos caridosos com o Big Bang e nem com os astros que nos deram a vida por acaso ou tementes àqueles que podem nos dizimar, como supernovas, cometas, asteroides e vírus. Tememos e louvamos muito, por outro lado, os deuses de nossas escalas e miragens, que ilusoriamente nos deram a vida. Sofremos de miopia e ingratidão cósmicas, resultado de nossa limitadíssima escala.

Somos ainda muito mal-agradecidos ao não darmos devida atenção à dádiva recebida da natureza que nos permitiu perceber todas as coisas que ocorrem nas escalas e dimensões que podemos perceber no Universo. Depois surgiram outros prazeres, conhecimentos e até instintos divinos. Porém, em seguida, vieram características, como a competição, a razão, a agressão, a raiva, o amor, o egoísmo, o altruísmo e a ganância. Tudo isso teria sido divinamente criado por Ele na tentativa de nos salvar do apocalipse satânico que se aproxima, mas que, por outro lado, nos acena com o Paraíso? Realmente ficamos assustados com essas Insanidades mentais.

Homo sapiens sapiens

Estamos continuamente mudando só as tatuagens e arrumando encrencas com os mitos dos vizinhos para apoquentá-los com nossas miragens, humores e verdades. Somos criadores de caso, ilusionistas mal-agradecidos e alienados.

As misturas confusas de escalas vêm provocando atos de *bondade* sanguinários de nossa espécie, apresentados em nossa lúgubre história e nos noticiários degradantes, encharcados de ilusórias verdades. Coloque duas tribos com fantasias diferentes, com bandeiras coloridas tremulantes, com seus hinos vaidosos e enaltecedores de crenças "verdadeiras", e veja o sangue que vai rolar! Se acrescentarmos a "fé" das tribos, sabemos que as coisas vão piorar. Coloque em uma tribuna dois políticos disputando uma eleição: destruição, mentiras e calúnias para todo lado é o que costuma suceder. Temos medo de pensar no que vai resultar os contatos futuros desses eternos paranoicos de nossa espécie, misturando, como cegos, suas escalas e códigos conflitantes. Prestemos atenção aos discursos de radicais políticos populistas ou religiosos com desmedida crença. Somos Insanos! Adoidados.

Mas diz a sabedoria popular que "uma galinha nada mais é do que uma máquina que transforma um ovo em outros ovos". Quem somos nós? Somos, por enquanto, máquinas de uma específica escala, que produzem mitos e crenças sem cessar. Matamos sem cessar e, depois, esquecemo-nos desse vício, desse pecado, e tentamos novamente nos amar e nos reanimar, para, logo depois dos primeiros sorrisos, afagos e acordos, surgirem divergências e violência até nos espaços mais íntimos. Que pena e que praga! Ele nos criou assim? Ou foi sacanagem do Mestre em nos tapear ou somos, por insanidade, incapazes de aprendermos as suas lições?

O que esperar de crenças "verdadeiras" que estimulam seus adeptos obedientes a derrotar os malvados inimigos do bem, nossos irmãos (os de outras crenças, claro), para a conquista do Reino Prometido? Só resta a matança do inimigo, nossos parentes, vencendo os bons combates. Mas será que combates podem ser considerados como coisas boas? Eles não passam de disputa de crenças e verdades. Cada lado defendendo o BEM. Pelo que estamos percebendo, os combates nada mais são do que um BEM contra outro BEM. De irmão contra irmão. Nada mais são do que rixas egoístas. Pertencem a loucos egotistas consumados e encapetados, assassinos com suas miragens, verdades, ilusões, mitos e crenças.

A noção de pecado, que habita várias crenças, não passa de uma das tantas abstrações da mente humana, tornando-a desvairada com ilusões demais. Os animais parecem que não possuem tais devaneios embutidos em seus cérebros. Por quê? A abstração de pecado é muito útil para a conduta humana que opera em grandes grupos, mas com a tendência de isolá-los progressivamente ao necessitarem da trapaça. Os animais formando pequenos grupos não necessitam de tantas quimeras e, assim, não desenvolveram a capacidade de muitas fantasias. Por isso, é que precisamos do Paraíso, da Salvação Eterna e de verdades como a do Fogo Eterno do Inferno para eliminar os trapaceiros. O pecado e a virtude não passam de simples miragens!

Vamos aguardar novas revelações de outras escalas, de outras camadas do conhecimento. Vamos tentar pensar um pouco, sermos mais pacientes e questionadores das aparências de nossas escalas, se é que vamos conseguir sair dessa enrascada biológica em que nos metemos. Assim, temos de nos livrar das crendices atávicas para mudarmos o enredo e as escalas, libertando-nos da "peste negra", da praga biológica que nos faz definhar e que vai nos consumir no dia do "Juízo Final".

A história é uma sucessão de padrões similares, com diferentes rimas, ruínas e ruídos, ou, poderíamos dizer, de coreografias distintas e oscilantes, mas com mesmo padrão e mesma escala. Ou, como prefeririam os matemáticos, de uma mesma "derivada". A história não é confiável por ser sempre uma narrativa deformada do narrador, real ou virtual, sujeita que está aos naturais *trambiques* de oportunidade dos observadores, tendências dos pesquisadores e da natural atuação do tempo em devorar e deformar o passado, como já nos referimos. Ousaria mesmo dizer que, se a história pudesse ser uma razoável representação de uma possível realidade, ela seria irrelevante para a escala temporal aqui considerada. Ficar olhando para a história não resolve nada. Ela é repetitiva, oscilante. É mesmice quando observamos, por exemplo, a escala paleolítica do *Homo sapiens*.

O uso de uma lupa histórica, que modifica a escala da observação, não ajuda a entender o fenômeno maior. Desejamos ver a floresta e não as árvores. A lupa dá para distrair, perceber e conduzir o cotidiano dentro de específica escala, mas não serve para conduzir o fenômeno ou o processo em outra escala e para o melhor entendimento do enredo. Dê uma olhada nas Cruzadas e *jihads:* não são iguais, a mesma rima, a mesma ruína? Brincadeira de mocinho e bandido.

A história da humanidade é basicamente a mesma, de idêntica estrutura; só o elenco e a coreografia é que variam levemente. Assim, a história humana não ajuda a perceber a evolução e transformações das espécies e nem a entender a espiritualidade, que transcende nossos saberes. São assuntos de outra escala.

As conquistas, sucessos e fracassos ocorridos na história da humanidade não passam de meras flutuações que não afetam a tendência geral evolutiva, quando consideramos os longos períodos de tempo geológico. O panorama muda muito quando ampliamos a escala e prestamos atenção ao caminho da nossa rota evolutiva. No ritmo muito vagaroso de nossa evolução, chegará o momento inevitável de alterarmos o seu rumo e evitarmos uma provável colisão em nossa trajetória com o desconhecido. Apenas desviando o rumo da evolução, mudando a escala, poderemos ter a chance de nos livrar da praga biológica que condicionou e contaminou profunda e irreversivelmente as espécies mais inteligentes desse planeta. O momento de mudança de ritmo parece estar chegando.

Conforme teorizei em 2001, no meu livro *Renovação*

Genética ou Extinção?, é como se existisse um código cósmico triádico, um código espiritual: Emergência (criação do novo com a quebra de Simetrias), Divergência (a multiplicidade com variação e desequilíbrio) e Convergência (a preparação de nova emergência). A Convergência dará início a um novo ciclo com novas Emergências, Divergências e Convergências e assim por diante, na permanente Mudança de nossa missão no Multiverso. Criação, construção e destruição são parceiros no Cosmo; início, meio e fim, a Divina Trindade.

Tudo está a indicar que a espécie humana se encontra em fase de Convergência, preparando uma nova Emergência. Estamos em face de uma nova Revolução Cognitiva, mais profunda do que imaginávamos. Primeiramente, teremos uma Revolução Genética (orgânica); depois, partiremos para uma de segunda natureza, uma revolução estrutural da mente, a Revolução Cognitiva. Estamos em busca de uma saída evolutiva para uma nova Emergência, um novo modelo da inteligência e consciência, segundo novos padrões, com novo código para edificar estruturas complexas e sem a síndrome do pecado, das abstrações e das guerras. É sobre esse assunto que continuaremos a divagar, devagar.

Se tivéssemos continuado a caminhar com "nós" nos dedões dos pés, adequados à locomoção em curta distância, como faziam alguns símios de então, o *Homo sapiens* não teria surgido. Se continuarmos com os "nós" no nosso encéfalo, adequados a mitos, crenças, religiões e outros viciados paradigmas insanos, a próxima guinada evolutiva para a estrutura Superinteligente, Autoconsciente e Espiritual não ocorrerá. Continuaremos endiabrados, insanos, matando-nos por diversos estados mentais, divertindo-nos com futilidades, desperdiçando energias, destruindo sem pudor o ecossistema e até defendendo corruptas estruturas socioculturais e econômicas.

Homo sapiens sapiens

PARTE II

INSANIDADE

CAPÍTULO 3

SAÍDA DA INSANIDADE

"...os progressos científicos mais extraordinários, as invenções técnicas mais assombrosas, o desenvolvimento econômico mais prodigioso, se não estiverem unidos a um progresso social e moral, voltam-se necessariamente contra o homem."

Papa Paulo VI, 1971.

Continuaremos a conversar sobre a nossa insustentabilidade e o nosso destino, o de sermos substituídos por nova estrutura. Desde nossa alvorada neste Planeta, começamos a inventar mitos, crenças e deuses dando início ao nosso *enlouquecimento sapiens*. Prestem atenção aos nossos resultados. Ou o leitor acha que realmente temos a infinita capacidade de perceber, ou mesmo sentir, a abstração do Infinito, do Eterno, da Espiritualidade e do Criador Supremo com nossa humilde e restrita estrutura cognitiva biológica?

Mitos e crenças

Por quanto tempo ainda continuaremos com a claudicância ingênua, antropocêntrica e antropomórfica (ou humanocêntrica, como queiram) de mitos e crenças, que nos iludem, vulgarizam nossa inteligência e desencantam nossa consciência? O que teria estimulado nossas ideologias arcaicas, utopias, fantasias, ilusões, mitos e crenças? As espécies do gênero *Homo* – desde o *Homo habilis* até o atual *Homo sapiens sapiens*, habitantes desse diminuto planeta ao longo dos últimos 5 milhões de anos – inventaram, durante seus períodos de labuta, esperanças, sofrimentos, alegrias,

Homo sapiens sapiens

87

devaneios e curiosidade, inúmeros mitos, crenças e religiões, sem contar com incontáveis superstições e mentiras, cada uma desempenhando seu papel por determinados períodos.

Será que o *Homo sapiens sapiens*, a única espécie sobrevivente do gênero *Homo* (todas as outras foram "bondosamente" por ela dizimadas), identificou o Mito Final, a Religião Final e a ciência com a Teoria Final ou Teoria de Tudo (*Theory of Everything*)? Ou continuaremos com a tolice e a prepotência quixotesca de nisso acreditar? Muitas de nossas culturas ainda estão habituadas a imaginar que o *Homo sapiens* é o cume da evolução, a espécie-alvo do cosmo, o único ser racional com alma, superior a todos os demais animais da Terra e a todas as possíveis estruturas autoconscientes do Universo. Seríamos uma dádiva de um ser supremo, sobrenatural e transcendental, o premeditador e criador da natureza?

Seríamos, como apresentado no Gênesis, no *best-seller* conhecido como a Bíblia, o propósito do Universo, criados à imagem e semelhança de Deus, o Todo Poderoso, onipotente, onisciente, onipresente, caridoso e bondoso Ser do Cosmo? Por que não admitir que o propósito da natureza, de Deus, não teria sido a bactéria ancestral de 3,5 bilhões de anos ou, se preferirem, não teria sido a primeira vida multicelular que aqui surgiu a menos de um bilhão de anos, em vez de nós, humanos?

Somos tão somente uma ocasional consequência daquelas vidas anteriores, tendo surgido recentemente – há cerca de 300 ou 200 mil anos – e, por isso, não passamos de uma vírgula numa pequena nota de rodapé do livro da escala geológica.

Durante esse tempo, a Inteligência e a Consciência poderiam ter brotado em outra classe animal, por contingências ligeiramente distintas. Por que não? Por que preterimos todas as demais? Tudo indica que não somos nada especiais, como a seleção natural está cansada de nos sugerir. Somos, sem dúvida, produto de contingências, e estamos sujeitos a elas permanentemente. A vida não vai acabar com a vida por maus tratos, como andam apregoando. A vida vai, inexoravelmente, substituindo-se, metamorfoseando-se, como sempre foi pela seleção natural. E agora também será substituída pela seleção artificial e pela Seleção Volitiva.

E por que não pensar que a "vida, a inteligência e a autoconsciência" aqui surgidas não teriam sido um resultado acidental das leis da física, como aventam alguns, ou resultado de processos cósmicos mais amplos dos Multiversos, que, gerando complexidades crescentes da matéria, resultaram no parto da Consciência em diferentes intensidades e escalas? Não estaremos usando escalas muito egocêntricas ao nos colocarmos como propósito divino, situados no topo da evolução? Não parece ser mais interessante, mais adequado e até mais emocionante imaginarmo-nos como simples e efêmeras estruturas ainda em evolução, em transição para estruturas mais exóticas e mais espirituais?

Podemos admitir sermos muito superiores aos animais e, assim, dominá-los e deles dispor ao nosso gosto, partindo do pressuposto de que eles são irracionais e sem alma. Mas isso já não estaria a merecer alguma reflexão maior? Essa forma de pensar sobre animais e homens está ficando decadente e perigosa demais.

Crenças, mitos e outras abstrações, como a farsa da democracia liberal e da economia de mercado, por exemplo, abstrações em moda na humanidade – sempre nos encantando e iludindo em nossa atual escala – foram surgindo sorrateiramente: brotaram, começaram a crescer e a se ramificar com modificações, e acabaram por se estabilizar com diferentes nuances e por tempos variáveis. Mas, como sempre acontece, com o tempo, os conceitos entram em colapso e acabam sendo substituídos.

É como ocorre com a lenta e cruel crença da seleção natural, complementada agora pela seleção artificial e pela seleção volitiva. Isso diz respeito ao processo de substituição das espécies, adaptadas às novas circunstâncias do ambiente. Estamos presenciando o crepúsculo da humanidade. Isso é normal, nada mais natural!

Todas crenças e mitos da humanidade se manifestam como certos e gostam de açoitar, de comer a carne e beber o sangue dos Deuses. Fazem isso nos momentos de acender as fogueiras, de elevação, de iluminação psíquica e adoração. O sagrado e o profano costumam estar juntos, em parceria, disfarçados de opostos para nos confundir. É uma epidemia que ocorre na espécie *Homo sapiens sapiens* da biota da Terra.

Ressaltamos que essas parcerias acontecem corriqueiramente com os partidos inimigos do elenco político, social e religioso mundial, que, gostando de dividir para usufruir, acabam sempre em ardilosos conchavos. São como o bem e o mal, a bondade e a maldade, o lícito e o ilícito, abstrações iguais, parceiras que se acomodam segundo os mitos e as crenças de seu tempo. Um não existe sem o seu comparsa antagônico, sempre se acomodando às máscaras de cada momento. Um sempre acredita na sua própria verdade e o outro, na dele, daí o inevitável conflito aparente das crenças, dos mitos e das superstições das supostas verdades: o conflito eterno nos alicerces das estruturas orgânicas da vida.

O que seria o bem sem a existência do mal, como já perguntamos? Desapareceria? Para que médicos se não existissem as doenças? Para que soldados se não houvesse conflitos armados? Para que advogados sem as contravenções e as tapeações? Os mitos e as crenças precisam de rebeldes, de hereges. Há um conflito cósmico que os une. Como Deus e Lúcifer, um não consegue viver sem o outro. Através dos acordos secretos das dicotomias, como a do "corpo" e "alma", tornamo-nos, de fato, títeres ludibriados, domesticados e obesos de ilusões, manobrados por verdades de titereiros divinos, criados por nossas abstrações supostamente sagradas.

As ilusões inundam a nossa espécie e dão origem à subordinação a tiranos, que, da sua parte, exigem louvações e bajulações. Sempre precisamos de um soberano para nos amar, amedrontar e escravizar, pois necessitamos de palmadas, carinhos e apoio dos pais e educadores. Por programação bioquímica e condicionamento do seu *software* cultural, o *Homo sapiens sapiens* tende a ser *fake*, demostrando poder, principalmente quando não o tem. Adora tatuagens, vestimentas com enfeites para encobrir o corpo, cabelos pintados, acessórios para as orelhas, o nariz e os lábios, perfumes para excitar o sexo e outras camuflagens da nudez ao traje a rigor. São tantas as decorações e seduções que ficamos apaixonados por essa arte da tapeação a ponto de introduzi-las no marketing, que se transformou na atual e sofisticada arte de falsear e enganar.

O *Homo sapiens sapiens* gosta tanto de fingir, mimetizar, trapacear e se pavonear, que chega a se sentir inviável se não mentir. Esse comportamento é tão comum na humanidade que notavelmente se espalhou na política, na conduta social, no mercado, no amor, nas fantasias, na propaganda e em muitos mitos e crenças. A prática da mentira tornou-se uma atitude fundamental para que os humanos possam se sentir realizados e, muitas vezes, para sobreviver. Parece que não conseguem mais viver sem a tapeação e, também, vale notar, sem a ilusão do sobrenatural.

Assim, a arte de trapacear incorporou-se definitivamente ao fenômeno da vida. Todos os animais também praticam a arte da exibição e do logro, porém com menos habilidades, sofisticação e criatividade. Enganar, então, não só é normal, como também passou a ser fundamental. Não é mais pecado. Pode ser virtude, dependendo do lado que você se assume. Não condecoramos generais que habilmente enganaram e destruíram nossos semelhantes e que, por isso, foram transformados em venerados heróis?

Todos os animais falseiam e deturpam. Porém, essa conduta acaba por gerar um terrível desgaste, como ocorre com as espécies, conceitos, políticas, habilidades e outras tantas abstrações. Por essa razão, adoramos revoluções para cambiar as ilusões e evitar o cansaço do tédio da mesmice. Afinal de contas, manter o *status quo*, sem variar paladares, é uma chatice.

O cansaço também ocorre com os astros do universo. As estrelas não estão ardendo e consumindo seu combustível nuclear, exaurindo-se em matizes coloridas? Todas elas acabarão se apagando, segundo seu processo natural de ascensão e queda. Tudo se encontra em estado de desespero. Tudo está sempre sendo abolido, como a humanidade, as nossas crenças, as nossas modas, e você. Tudo se revezando, e nós rezando.

Fomos moldados por naturais impulsos primitivos que nos comandam, principalmente o da sobrevivência e o da reprodução. Os demais impulsos são deduções, fantasias, mitos e crenças. Está se aproximando, contudo, o momento da eclosão de uma segunda natureza, talvez não mais como a ultrapassada biologia. Quem sabe?

Por mitos, acreditamos que formos criados à semelhança dos deuses. Essa é uma das incontáveis crenças inerentes à nossa espécie, narcisisticamente considerada inteligente e criativa em demasia, extraordinariamente sensível e dotada de emoções profundas. Parece ser conveniente e oportuno levantarmos dúvidas a esse respeito. Tudo indica que os animais têm uma vida mental muito complexa, conforme identificada por recentes e abalizados estudos biológicos. Ao que parece, eles não vivem, como pensávamos, somente em um eterno presente. Eles podem viver atemorizados com o futuro e com recordações próximas, mas também, como os humanos, encharcados de mitos e crenças, só que em outras escalas.

Mitos e religiões

Teologia, Cosmologia e Filosofia são, cada uma ao seu tempo, os principais magistérios da cultura humana. São magistérios que ainda não se sobrepõem e cujos domínios não se hostilizam e não se invadem, cada um mantendo sua dignidade e autoridade. Mas, em breve, esses eles deverão entrar em simbiose, cada um estudando e entendendo o outro. Assim, superarão a si mesmos, criando magistérios, "complexidades". Desses novos magistérios espera-se que não admitam a expressão da mente que acaricia e estimula a certeza: "se você não está comigo, você é contra mim, você está errado".

Não obstante, enquanto a cosmologia e a filosofia parecem caminhar com reflexões cada vez mais profundas e ousadas e em permanente simbiose, a teologia ainda flui em ritmo e movimento muito lento. Encontra-se quase estagnada por suas verdades absolutas, causando desvairados danos à dinâmica da evolução. Desde o século XVI, a dissintonia entre esses diversos saberes, como formas distintas de ver e examinar o mundo, é uma constante na história da humanidade.

A consciência de nossa ignorância e de nossas fantasias é o *insight* que nos levará adiante, rumo a um novo salto cognitivo evolutivo. Dentro de poucas centenas de anos, se tanto, os magistérios mencionados estarão radicalmente diferentes e, possivelmente, nem mais existirão da forma como os entendemos hoje. Tudo será completamente distinto, como distinta é nossa estrutura mental em relação à do *Homo habilis* (há dois milhões de anos) e do *Homo erectus* (há um milhão de anos), que nos antecederam nessa jornada biológica, supostamente épica.

Vale a pena lembrar que, em determinado momento, tivemos extremada convicção de que relâmpagos, trovões, arcos-íris, eclipses, tufões e terremotos eram manifestações diretas dos deuses das abstrações de cada época, ofendidos e furiosos com nossos insistentes pecados. Sabemos hoje que todos esses fenômenos são meramente físicos, simples e naturais. Mesmo assim, há ainda quem deposite fé em estrelas cadentes, nada mais do que pequenas pedras errantes no espaço, as quais, ao entrarem na atmosfera da Terra em alta velocidade, incendeiam-se pelo atrito e se despedaçam. Esse mito antigo continua nos incitando a fazer três pedidos ao destino quando vemos o traço luminoso rasgando fugazmente a ilusória abóboda celeste, cheia de constelações que também não passam de ilusões. A miragem das constelações também foi desfeita: elas são configurações abstratas, imaginárias, que

Homo sapiens sapiens

não têm existência real, mas muitos até hoje ainda acreditam que são responsáveis por nosso temperamento, gostos e destino. As estrelas que fazem parte da ilusória configuração das constelações não têm relação espacial, física e nem mesmo temporal entre si e com a Terra. São como miragens em um deserto celeste. O *Homo insanus*, no entanto, continua reverenciando-as com a astrologia, antiquíssimo e decadente mito que tem sido muito nocivo à humanidade. Ressaltaria o comentário de Richard Dawkins: "Levo a astrologia muito a sério: acho que ela é profundamente perniciosa porque prejudica a racionalidade, e eu bem que gostaria ver campanha contra ela". Eu também. Também acho que as religiões e crenças ainda existentes são muito perigosas por não serem baseadas em evidências e por frequentemente conduzirem seus seguidores a ilusórias verdades, levando-os a atos tresloucados como terrorismo ideológico e suicídios em grupo. Autodenominados pastores – ou seja, domesticadores e cuidadores de rebanhos – esses supostamente bondosos representantes de Deus promovem uma despudorada exploração dos ignorantes. Como disse o mesmo Richard Dawkins, as religiões e crenças distorcem evidências – isso quando não as falseiam pelo vício da fé que se empenha em explicar os fenômenos e em consolar os aflitos. Enquanto isso, as ciências também procuram explicar os fenômenos empregando outros métodos, mais racionais.

Inúmeros mitos existiram para explicar o fenômeno do dia e da noite, incluindo o da carruagem transportando o deus Sol. Acho que nós, que nos denominamos modernos, sempre incorremos no risco de acreditar piamente nessa lenda de nossos antepassados, como já acreditamos no Paraíso, no Inferno, no Purgatório, no Limbo, em Deuses zangados dentro dos vulcões e num paraíso cheio de noivas para nos receber.

Como gostamos de uma enganação! Os prestidigitadores, magos, santos, discípulos, reis, deuses, salvadores, ditadores, políticos, teólogos, religiosos, mestres espirituais, xamãs e todos mais que queiram se candidatar a embusteiros sedutores têm palco à disposição neste planeta. É só escolher a fantasia, a coreografia e cair na sinfonia. Não adoramos a bandeira como símbolo separatista para garantir a desunião entre grupos? Gostamos mesmo é de uma briga, de um engodo e de uma trapaça. Gostamos de viver e de nos iludir com um bom combate.

Civilizaçõcs antigas imolavam crianças para, com o seu sangue, irrigar a terra que, assim, se tornaria fértil. A crença era tão profunda que era um orgulho e uma honra para a família ter suas crianças escolhidas para o nobre sacrifício. Fertilizando a terra com seu sangue, pelo desejo de um ser supremo, elas contribuíam para a salvação da tribo. Aquelas crenças foram ofuscadas, como já o foram inúmeros mitos sobre a origem da Terra e do Cosmos. E como serão ofuscados os mitos, as crenças e a religiões que hoje vicejam.

Disse Leonard Mlodinow: "O que torna o Big Bang diferente da proposta dos maias de que somos todos feitos de milho branco e amarelo?". De forma semelhante, segundo o Gênesis, supomos que fomos feitos "de vapor que subia da terra e regava toda a face da terra". As crenças e mitos têm se mostrado muito restritos para a conduta da civilização e para o conhecimento de nossas origens, apesar de terem sido extraordinariamente úteis no passado. A aparente "certeza" das religiões, na verdade, provém de nossa profunda ignorância e falta de curiosidade. Ter fé tem nos levado a um estado de profunda preguiça mental.

A crença pela crença é vício da natureza humana.

Homo sapiens sapiens

Muitos desses vícios, como a crença em bruxas, felizmente desapareceram. Então, por que as nossas atuais crenças, religiões, superstições, filosofias e ciências também não podem vir a cair em esquecimento? Nossas crenças e mitos atuais se fundamentam na existência de uma ordem sobre-humana, estabelecida por um ser supremo e absoluto. E estamos percebendo tratar-se de uma abstração vaidosa, egoísta e ignorante, que restringe nossa consciência. O hábito ou o vício de nos considerarmos o "máximo" é, realmente, um mal de nossa espécie.

Quem hoje tem crença no animismo, crença generalizada na mente de nossos ancestrais, que acreditavam na presença de vida em tudo que viam, até nas pedras? Foi moda de uma época, porém, passou. Como deve passar a moda das crenças, religiões e deuses atuais. Por que nossas atuais crenças seriam, inexplicavelmente, exceção?

Crenças e religiões duram muito e muito tempo, unindo e separando grupos. Cada tribo acha que sua crença é dona da verdade. A outra crença é sempre infiel, merecendo ser condenada. O comunismo não condena o capitalismo? A direita não condena a esquerda? Isso faz parte das imprescindíveis desigualdades do Universo. Os adeptos de que a Terra era um disco flutuante em um mar infinito não confiavam nos que acreditavam que a Terra estava mesmo é pousada nas costas de uma tartaruga. Qual será a versão original, verdadeira, do Universo, da vida, de Deus? Qual será a versão divina e eterna? A minha, a sua ou outra que está por vir? Existirá algum Avatar que virá para nos salvar? E tudo nos explicar?

Não temos muita condescendência com as abstrações do outro, principalmente quando suportam idealismos, verdade ou crenças. Cada tribo tem a mania de ficar devotada aos interesses específicos de suas crenças, esquecendo que todas as nossas religiões, cultos e narrativos, sem exceção, hoje praticados fervorosamente como verdades absolutas, entrarão inevitavelmente em decadência, como de costume. Não há "verdade" global absoluta e, assim, as supostas "verdades" são sempre inconfiáveis por ser uma ilusão, ficção da mente, que acaba sempre nos conduzindo a conflitos cretinos. As variadas narrativas e crenças praticadas pelos humanos não são por si mentirosas. São belas "fake news" duráveis, imaginações vestidas de verdades, metáforas inspiradoras, que, sendo acreditadas, vão crescendo por algum tempo permitindo a prática da cooperação dentro e também fora dos grupos. As "fake news" nem sempre são danosas. O geocentrismo foi uma espécie de notícia falsa que demorou 17 séculos para desmoronar e que foi seguida de outra, o heliocentrismo, que já entrou, há muito tempo, em ocaso. "Uma mentira dita mil vezes torna-se 'verdade'" (Joseph Goebbels), podendo durar até mais de mil anos. A Coca Cola, como mencionou Yuval Harari, repete há quase um século a imagem de algo que gera saúde, divertimento e juventude apesar de contribuir para o oposto: a obesidade. O marketing atual é como um mágico que sabe bem enganar. As religiões também funcionam como ilusionistas e sabem bem elaborar sofisticadas "fake news". Todos os templos, altares e igrejas adoram falsidades. Sempre vivemos com notícias falsas e isso não impede de termos uma vida moral, uma boa conduta e, por que não?, espiritualidade. Vale ainda relembrar que os animais também têm códigos éticos, seus deuses "fakes", e certamente não podem crer nos Deuses de seus semelhantes, que, para eles, devem ser "fakes".

Parece que os deuses de nossas atuais crenças estão entrando numa fase crepuscular. Manteremos a tradição! Crenças, mitos e Deuses dependem mais de educação, hábitos, fantasias e modismos do que de revelação. É só olhar a evolução.

Deuses

O que entendemos por Deuses ou Deusas? Teriam surgido da necessidade de seres e sociedades possuírem um chefe porque precisam ser dependentes? Todo subordinado gosta ou mesmo necessita de jurar perante um Deus, um demiurgo, um ditador, um chefe ou algo superior, para, assim, sentir-se livre da responsabilidade ou da culpa. Desejo neste ponto ressaltar que Deus é uma das fantasias mais destacadas e relevantes da humanidade, mas, considerando as circunstâncias do mundo em que vivemos, não faria muita falta se não existisse.

As religiões, com seus dogmas e fé inquebrantáveis e com seus superiores onipotentes, que nos subordinam, deveriam ser denominadas como "ciências exatas", por serem dogmáticas, detentoras de verdades inabaláveis. As religiões recusam-se a aprender o novo por sua inamovível postura exata. Porém, queiram ou não, mais cedo ou mais tarde, os dogmas e as verdades das crenças rotineiramente sucumbem em face de novas evidências, novos credos e fatos que vão surgindo. É o que podemos constatar. Os avisados, ou mais sábios, compreendem que a ciência não tem mesmo nada a ver com a exatidão. O pensamento científico é adubado por questionamentos, por estimulantes dúvidas. As palavras "verdade", "certeza" e "realidade", por exemplo, muito usadas nas religiões, devem ser utilizadas com extremo cuidado na ciência por gerarem plêiades de enganações mentais.

Crentes ou ateus (que não têm nada a ver com especialistas ou generalistas), por serem ambos extremófilos, costumam ser muito radicais. Vangloriam-se de "limpezas étnicas", de sectarismos, nacionalismos, esquerdismo, centralismo e por aí afora, e não costumam estar muito interessados e nem querem saber nada sobre a origem de nosso planeta, da galáxia ou do Universo: os crentes, porque já sabem da verdade; e os ateus, porque não estão lá muito interessados nesses assuntos. Eles não querem procurar saber sobre a origem da humanidade e nem mesmo de nossos ancestrais. Você já não percebeu que crentes e ateus (com raras exceções) costumam não estar muito interessados no seu quinquagésimo oitavo ancestral que foi diretamente responsável por sua preciosa vida? Isto é assunto para antropólogos, paleontólogos e biólogos, ou seja, assunto para cientistas. Ateus e crentes definitivamente não estão mesmo interessados nisso. Costumam ser muito atentos para as maquiagens, adornos, fantasias, as firulas, as traquinagens e os queixumes. Crentes e ateus continuam primitivos e muito obedientes, seja a uma autoridade da tribo ou do céu. Os crentes se enquadram como virtuosos e os ateus como viciados pecadores.

Entretanto, entendemos que o agnosticismo, praticado por aqueles que sabem que não sabem, tem-se revelado importante legado mental para a evolução de nosso conhecimento. Agnósticos não estão, forçosamente, em cima do muro. As denominadas pessoas cultas sabem que sabem cada vez menos, mas, pelo menos, sabem cada vez menos sobre cada vez mais. Os especialistas sabem cada vez mais de pouco, e os generalistas sabem pouco de muito. Os extremófilos, crentes e ateus parecem que sabem tudo de tudo, pois são detentores da verdade, são dogmáticos. Sendo assim, estão mesmo por fora e, estando por fora, cometem crimes horrorosos, sem saber. Tomaram uma *overdose* de verdades. São críticos por excelência, sempre com informações incompletas, habituados a representarem a voz do Povo, a voz de Deus, a voz da ignorância. Por isso, vivem se matando há milhares de anos sem perspectivas de atenuar o radicalismo.

Parece que os agnósticos têm demonstrado uma melhor conduta do que os extremófilos. Parecem ser mais elegantes, gentis e otimistas. Costumam, ainda, ter uma vida ética, sem necessitar de crenças, mitos ou religiões. Conhecemos muitos crentes e ateus sem a mínima ética. Você pode não crer em Deus, mas pode ser profundamente religioso, como dizia Albert Einstein. Conhecemos incrédulos, não religiosos, mas profundamente espiritualizados. Eu me enquadraria nesta categoria.

A "Fé" e o "Sobrenatural" não concedem nenhuma garantia de um comportamento moral, de um comportamento ético, que pode ser natural e independente de religiões. Dessa forma, temos moralidade em cristãos, judeus, muçulmanos, hindus, budistas, ateus, agnósticos e grupos de outras seitas por aí afora, pois a moral depende do amor e da espiritualidade, não carecendo de narrativas míticas. Tribos seculares podem desenvolver moralidade da mesma forma ou até mesmo de maneira mais exuberante do que nas tribos religiosas.

Os crentes e religiosos, com extremada fé, tendem a estar sempre por baixo, pedindo perdão, louvando os Altíssimos com as técnicas dos aduladores e dos adúlteros, sempre se benzendo com tristeza para aliviar a pressão pessimista de suas culpas e para tentar salvar seu espírito, e impondo-se sacrifícios. Para eles, aqui é lugar da dor, e o Paraíso será o lugar do prazer. Por que os crentes precisam tanto da dor, do sangue e do sofrimento? Seriam masoquistas? Será que o sofrimento é um pré-requisito para o Paraíso? Por que santos e crentes estão, em sua maioria, sempre tristonhos, humildes, cabisbaixos e melancólicos, com ares de infelicidade em todos os templos, procissões e altares? Será que eles realmente acham que o sofrimento, a pobreza e o martírio abrem o caminho para o Paraíso? Não será mesmo por falta de otimismo? Estarão deprimidos? Será que eles são mesmo "descrentes"? Será por falta de amor e de dinheiro?

Os agnósticos, sem a síndrome da culpa e do pecado, sem hostilidade e aspiração à salvação, que crentes e religiosos, em geral, carregam, podem ser naturalmente otimistas de boa-fé. Não precisam dar nada em troca e nem choramingar por gorjetas e dízimos nos templos, com feições deprimidas e molhadas de lágrimas redentoras. Os agnósticos não aspiram descanso em paz e nem a eternidade celestial como prêmio. Não aspiram uma "boa vida". Podem viver em paz e amorosamente aqui, com seus semelhantes, de forma otimista, contribuindo, assim, com a evolução transformadora. Ressalto que os agnósticos não estão certos nem errados. Não são melhores nem piores. O tema sobrenatural simplesmente não faz parte das suas preocupações. Não é assunto para eles. "Amai-vos uns aos outros como a si mesmos" é conduta moral que não necessita de crença, religião ou de qualquer divindade. Quando a essa característica se juntam a amizade e a cooperação, qualquer narrativa, até religiosa, será útil à evolução e à harmonia dos seres. Mais importante do que a crença religiosa é a conduta ética, cooperativa e espiritual.

Nesse ponto, seria oportuno indagar: será mesmo que o Universo necessita de um Criador para existir? E quem teria criado o Criador? Por que o criador seria eterno? Será que o Criador, realmente, necessita de nossos louvores? Estaria o Criador em depressão, precisando de uma massageada no ego?

E por que não existirão muitos criadores? Uma Criação em comitê talvez fosse mais democrática. Assim, o Universo teria mais diversidade e criatividade. Mas não – as principais crenças apontam para um Criador solitário. Parece que os seres humanos apreciam e preferem mais os ditadores onipotentes e oniscientes. Não gostando de concorrência, preferem o monoteísmo eterno. Estamos cansados de saber que ditadores e messias costumam ser enganadores-mor, onipotentes e oniscientes caridosos. É só dar uma espiadela na história.

E se o Universo tivesse começado de forma diferente, um pouquinho que seja, teria Deus escolha? Seria mesmo onipotente? Ou Deus é aleatório, não tendo preferência por nenhum caminho? E ter de dispor de um deus para responder perguntas difíceis demais não lhes parece mais uma atitude de preguiça mental, falta de criatividade? E se os deuses tiverem o que denominamos Inteligência Artificial? Como conseguiremos imaginá-los e, ainda mais, compreendê-los? Quem sabe se Deus com Inteligência Artificial não seria mais interessante, amoroso, espiritual e saudável para a nova estrutura que sucederá o *Homo sapiens sapiens*?

Deus pode não existir ou pode ser verdade. Deus é um conceito confortável, uma abstração de nossa mente limitada, que excita e cria mitos, tendo profundo significado na conduta humana, mesmo de modo sabidamente passageiro. Houve uma época em que imperadores e reis eram considerados como representantes divinos e louvados como tal. A crença na abstração da divindade dos faraós, imperadores e monarcas já teve seu momento, sendo hoje ridículo pensar da mesma forma. Será que as religiões atualmente praticadas com seus respectivos deuses estarão mesmo certas? Ou também ficarão obsoletas, caindo no precipício do ostracismo como de costume? Será que poderemos agora viver sem a tirania dos deuses? O desenrolar da evolução, da história e do conhecimento parece que está a nos sinalizar com um veemente sim!

Os últimos 5 mil anos de gestão de tantos deuses, com a invenção da escrita, do dinheiro e de tantas outras criações exuberantes, ao que parece, não foram suficientes para melhorar nossa compaixão e amor ao próximo. Por que continuamos irresponsáveis com o uso e abuso dos bens colocados por Deus na mãe Terra? Por que continuamos jogando bombas em cima de todos, sem cessar, e roubando uns aos outros? Por que as diferentes etnias e as pátrias cultivam a hostilidade? Por que os políticos utilizam o berro, a acusação, o empurrão, a mentira, mãos tremulantes e xingamentos para apresentarem seus argumentos ao povo? Que confusão estão arrumando? Que paranoia estão escondendo? Isso tem nos revelado que não parece haver grande diferença entre símios e humanos ou até entre humanos e demais representantes da classe dos mamíferos. Parece que estamos a lidar com algo muito enigmático ou com uma revelação surpreendente. Por que matamos, até com estranho orgulho, nossos denominados e amados irmãos, termo tão proclamado pelas religiões, só por terem diferentes pontos de vista e bandeiras de outras cores?

Os deuses podem estar na iminência de simplesmente nos deixar porque sua existência não é mais necessária. Não conseguiram nos ensinar a amar ao próximo como a nós mesmos, depois de tanto tempo, assim como conseguiram ensinar aos átomos o amor nuclear, e aos astros o amor gravitacional que, mantendo-os unidos, em cooperação, têm catalisado a evolução no desenrolar da complexidade das estruturas materiais e com o surgimento da Consciência.

Os deuses estão concluindo seu trabalho? Eles chegaram com a promessa de libertar e salvar a humanidade de seus próprios pecados, mas acabaram escravizando e estimulando a humanidade a cometer insanos e incontáveis crimes e delitos. Eles nos iludiram com mágicas e milagres, pedindo em troca preces, louvores e dízimos, na eterna promessa de apaziguar, proteger e salvar.

Por que os deuses, sempre todo-poderosos, não curam a lepra em vez de curar individualmente alguns leprosos? Não curam a cegueira em vez de alguns cegos? Por que não nos liberam de nossa insanidade, de nossas fantasias e ilusões? Parece que os deuses, expostos, estão abdicando de seus cargos por não terem cumprido seu dever. Talvez estejam com as consciências pesadas, depois de tanto tempo nos enganando.

Mas nada disso deveria nos surpreender. Não poderíamos esperar outra coisa de deuses com atributos, qualidades e defeitos humanos. Nós, humanos, projetamos em nossos deuses qualidades e experiências que nos são inatas, como raiva, ódio, sexo, egoísmo e o gosto de manipular os desinformados. Os deuses ficaram plenos de egocentrismo, antropocentrismo, amor, bondade, caridade, piedade e inveja – características dos pecadores. Vale frisar que os deuses gregos antropomórficos, que nos copiavam, acabaram perdendo o trono por excesso de luxúria e disputas. O ser humano, como referência e objetivo, está ficando obsoleto e perigoso; não serve como referência para deuses. Não estamos aqui praticando uma censura, apenas um alerta de que nossos deuses estão em decadência por nos serem *semelhantes*. Precisamos de um novo Diretor, de um novo Deus, de mente mais sana e desprovido de características humanas. Mas haverá tempo para isso?

Antes do aparecimento das atuais crenças, religiões e deuses, que só entraram em cena muito recentemente, como se comportávamos seres conscientes existentes no Cosmo sem a orientação divina? Como eles foram salvos dos pecados

Homo sapiens sapiens

103

sem as crenças atualmente em vigor? Ou todos estarão ainda vagando desesperados no Inferno por terem tido o azar de terem nascidos antes do tempo, antes dos deuses atuais? Ou será que as religiões que não existiram na naquela época acabaram por isentá-los, por decreto celestial caridoso, de todos os terríveis pecados e crimes que cometeram?

Os deuses pregaram ao povo dizendo: "Acreditais em mim sobre todas as coisas". Além de humildes, são caridosos. Mas, se não acreditarmos na "humildade" dos deuses, seremos, por "caridade", condenados às eternas chamas do inferno e por toda eternidade. Olhem quanta caridade, bondade, humildade e espírito democrata há nesses deuses. Já temos Deus, ou deuses e deusas demais. Chega! Os deuses atuais perderam seus direitos autorais, o suposto direito de exploração da invenção das espécies; perderam o monopólio dos humanos. Por que o Bem não consegue dominar o Mal, depois de tantos milhares de anos? Será por incompetência de onipotentes Deuses? É hora de começarmos a gritar por socorro, em desespero, como o gado indo para o matadouro.

Ciência

A ciência não é exata, como se diz por aí. Por princípio, a ciência não se alicerça em verdades, dogmas e crenças, que costumam se basear na narrativa oral. A ciência é fascinante! Todas as tribos deste planeta praticam a ciência com os mesmos códigos, independente de origens, crenças, culturas e etnias. Nunca vimos uma tribo destruir outra por causa do Teorema de Pitágoras. A ciência na China, na Índia, no Canadá, no Brasil ou nas ilhas de Páscoa é a mesma, com o mesmo código. Contudo, crença e ciência são, por enquanto, incompatíveis. Não guerreamos por causa da Teoria da Gravidade, mas guerreamos bastante pelas crenças e pela bondade dos deuses. A ciência, uma das mais morais atividades humanas e isenta da fé, baseia-se na dúvida, na incerteza e na experiência, enquanto as crenças se suportam em dogmas, narrativas fantásticas, em milagres e no sobrenatural, sendo uma das atividades humanas mais inescrupulosas e propícias a desonestidades.

A ciência observa e estabelece hipóteses a partir de um conjunto de princípios básicos; elabora teorias e teoremas para explicar as observações, fazer previsões e realizar testes experimentais e validar ou refutar as hipóteses. Muitas vezes, principalmente na astronomia, a ciência não pode, ao menos por enquanto, se valer de muitos testes, mas só de inúmeras observações, ao longo do tempo, e assim validar, em uma determinada escala, as teorias adotadas.

No entanto, chega um dia em que os novos experimentos e as novas observações não passam mais nos testes e nas previsões de uma determinada escala. É o momento de modificar hipóteses e teorias. E, assim, o pensamento científico prossegue a sua evolução. O cientista está sempre se inquirindo e investigando em busca de imperfeições e novos modelos. Sempre em dúvida, sempre experimentando.

A ciência é ainda um código quase universal, com validade para diversas culturas. Sem ocupar-se demais com valores éticos e sem fortes emoções, a ciência, por ser amoral, libertou bastante a mente das ilusões, causadoras de neuroses que nos atormentavam. É volátil, muda seus princípios, sofre mutações que se adaptam a novas percepções e vai se transformando, mudando. É como acontece com as espécies, que não têm um caminho prévio para atingir um suposto ápice. O passado não prenuncia o futuro. Isso deveria ser objeto da atenção dos crentes. Para exemplificar, parece claro que os peixes pulmonados, que no Devoniano (aproximadamente há 400 milhões de anos) transformaram-se em anfíbios, não tinham o objetivo distante em evoluir para a eclosão do *Homo sapiens*. E é neles que temos nossa origem de animais andadores na Terra.

A ciência avança com essa postura, que exalta a diversidade sem meta específica, e vai descobrindo novos caminhos, muitas vezes de forma caótica, enquanto as crenças, ao estabelecerem um objetivo prévio e dogmas – a salvação ou o paraíso, por exemplo –, ficam aprisionadas, caminhando assim para a estagnação. Perdem a flexibilidade evolutiva e enferrujam.

O Papa Paulo VI, já em 1971, referiu-se ao problema ecológico, consequência dramática da atividade descontrolada do ser humano. Sua Santidade sublinhou "a necessidade urgente de uma mudança radical no comportamento da humanidade", porque "os progressos científicos mais extraordinários, as invenções técnicas mais assombrosas, o desenvolvimento econômico mais prodigioso, se não estiverem unidos a um progresso social e moral, voltam-se necessariamente contra o homem". Com o devido respeito poderíamos indagar: por que o progresso social e moral não se une aos extraordinários progressos científicos e tecnológicos e, juntos, se voltam a favor do homem? Vamos aqui destacar que todos os humanos podem ser de boa vontade, mesmo se cheios de limitações vaidosas e insanidade.

A ciência tem-se fundamentado em leis probabilísticas e no caos, que os demais magistérios não apreciam muito. A ciência está sempre interpretando, descrevendo e criando modelos. Por outro lado, os dogmas, por estimularem a intolerância, como todos os vícios, acabam também, por razões opostas, sendo substituídos, mas com muita lentidão, por terem estabelecido um *business plan* rigorosíssimo. Os continentes não alteram as suas configurações pelo sorrateiro movimento das placas continentais? Eles, que nos parecem estáticos, estão em permanente transformação. Na aparência são inalteráveis, como o são os dogmas, só fixos para os crédulos e assim mesmo, por certo tempo. Ciência e religiões têm pulsações distintas e nos parece necessário sabermos como edificar sua simbiose.

Mas será que filosofia, teologia e cosmologia estão se evaporando e perdendo seu fascínio para as religiões? Ou, ao que tudo indica, não vamos mais necessitar de nenhum dos mencionados três magistérios nem mesmo de religiões, pois essas estariam sendo substituídos pela ciência, tecnologia, política, marketing e sociologia

Mas necessitamos realmente de tantas fantasias? Dá muito trabalho ao córtex cerebral entender das coisas, sendo mais prático uma boa esperteza, uma boa tatuagem, uma festa e muitas ilusões. As religiões e crenças entenderam, há muito tempo, que fantasia dá sentido ao sofrimento e, assim, imolavam crianças. Quanto maior o sacrifício, maior a crença no imaginário. Porque Cristo teve que morrer na cruz, todo picotado, todo furado e não morrer com alegria. Ser alegre é feio? É pecado?

É mais fácil desenvolver uma crença sobrenatural de que a matéria não é feita de uma substância real e que a mulheres foram feitas das costelas de Adão, do que procurar entender a Teoria das Cordas, a Teoria Quântica dos Campos e o Modelo Padrão. É mais cômodo crer que o mundo foi feito em sete dias, como se por magia, do que entender termos levado cerca de 13,8 bilhões de anos para evoluirmos do Big Bang aos dias de hoje, ao necessitar compreender a Dinâmica das Galáxias, a Núcleo Síntese e a Teoria Evolucionária. É mais cômodo, e mais sedutor, dizer "E fez-se a Luz" do que entender da complexidade da Teoria Eletromagnética. É mais confortável entender "Eu sou o Tempo", de Krishna, do que procurar entender o Tripleto Quântico entrelaçado do Tempo, Espaço e Matéria, da física moderna. Por fim, é mais fácil louvar o Amor Sobrenatural do que louvar a Força Nuclear Forte e Fraca, a Teoria da Complexidade e da Relatividade que tudo liga e une em eterna simbiose.

O Telescópio Espacial James Web, a ser lançado em 2021, que tornará o Hubble uma peça de antiquário, as novas espaçonaves robóticas com inteligência artificial (IA) e os novos telescópios que no futuro serão instalados nos astros do Sistema Solar vão nos revelar deslumbrantes e esclarecedores aspectos do Universo. Conhecimentos mais instigantes, sublimes e divinos do que quaisquer narrativas medievais ou antigas,

Homo sapiens sapiens

porque, provavelmente, irão nos brindar com indícios de alienígenas e estruturas conscientes. Os questionamentos e descobertas da ciência estão revelando o ocaso das narrativas já esgotadas do antigo Cosmo e das fantasias inventadas por nosso córtex ancestral.

Tudo tem seu tempo e não dá mais para ajustar e acomodar as atuais crenças – como democracia, livre mercado, liberdade, ciência, direitos humanos – à nova estrutura cognitiva que se avizinha. Uma atenta percepção do que ocorre no mundo com o destruidor e desvairado fenômeno humano nos estimula a procurar por novos caminhos.

Abrindo um parêntese, que vai nos iluminar mais adiante, lembramos que nos últimos dez mil anos foi notável o exponencial desenvolvimento de códigos em nosso córtex para aperfeiçoar a curiosidade e desenvolver nossa capacidade cognitiva especial. Esses códigos vêm superando a doença da preguiça, poderoso estimulante das crenças. Mesmo assim, apesar dos notáveis avanços obtidos, parece ser necessária uma transformação singular de nossa estrutura cognitiva e até física para aperfeiçoar ainda mais a Educação, a Cultura e os códigos sociais, que estimulam a conduta de "cooperação" e da "espiritualidade".

É oportuno enfatizar que a ciência está também sempre se alterando, com a vantagem de ter consciência de sua transitoriedade, percebendo que as soluções mais simples são, muitas vezes, as mais acertadas.

Por sua simplicidade, a teoria de Copérnico, o heliocentrismo, descartou a complicadíssima teoria do geocentrismo, de Aristóteles, Ptolomeu e São Tomás de Aquino. Todas teorias foram, um dia, verdadeiras e até mesmo consideradas sagradas. Fascinante, a ciência é um modo encantador de pensar que funciona com valores muito objetivos, procurando sempre a imparcialidade e utilizando-se de testes que possam validar teorias, independentemente da geografia, cultura e crenças, procurando sempre evitar os vícios de manipulações que costumam gerar variados conflitos.

Constantes cósmicas

Os seres humanos que virão a nascer nos próximos anos terão possibilidades de vida muito mais duradouras, pois serão submetidos a variadas e radicais transformações, inclusive genéticas e mentais. Esses descendentes serão mais modernos e com seus cérebros interconectados telepaticamente com a consciência e a memória coletivas, tendo estrutura física, metabolismo adaptativo, processos de sobrevivência e reprodução muito diferentes dos utilizados pelas espécies atuais do reino animal.

Essa nova espécie, ainda orgânica e com apêndices inorgânicos (como as de hoje), ou puramente inorgânica, deverá não apenas ser, em futuro bem próximo, a promotora do início do Êxodo da Terra, como também começar seu espalhamento por variadas regiões do espaço, obtendo energia dos astros escolhidos para seus assentamentos, podendo viver, se pudermos usar ainda essa palavra, em diferentes escalas de complexidades e de tempo. Estará adaptada a vários *habitats*, dando surgimento a inúmeras estruturas conscientes e diferenciadas, que se replicarão sem restrições no espaço. Poderemos, então, começar a verificar se estaremos prontos para participar da comunidade autoconsciente que já permeia o Universo. Nessa outra dimensão, nossas crenças e encrencas serão arcaicas e sem sentido, e, por isso, serão encerradas e enterradas. Tiveram seu tempo.

Há mil anos, não tínhamos a crença arcaica da Terra plana? Era inimaginável que a Terra seria uma esfera, girando como um pião ao redor do Sol, que, por sua vez, também redondo, faz rodar o centro de um conjunto enorme de estrelas.

Seria pecado mortal conceber isso. Inimaginável era também pensar que eu poderia estar presente virtualmente em todos os recantos da Terra ao mesmo tempo e me comunicando, simultaneamente, com todos os seres através da televisão, dos computadores e da internet – hoje trivialidades. Naquela época, nem magia negra, nem crença e nem mesmo o sobrenatural poderiam supor que teríamos, um dia, o dom da ubiquidade. Inimaginável! Como serão os inimagináveis amanhã e o depois de amanhã...?

A história da vida como a conhecemos é mero registro de contingentes oscilações aleatórias. Com o escoar do tempo, na escala em que estamos percebendo, tudo será substituído. Nada dura para sempre. Nem os Deuses.

As espécies orgânicas inteligentes e conscientes provindas da Seleção Natural, com apêndices inorgânicos – ferramentas, acessórios e máquinas, como os utilizados atualmente –, estão se modificando. Cada vez mais apêndices inorgânicos vão surgindo até atingir a estrutura ciborgue mista, também denominada de híbrida, quando os apêndices se tornarão também cada vez mais inteligentes. Com o passar do tempo, as estruturas tenderão a ficar mais inorgânicas, com *design* superinteligente, até surgir a "Singularidade", a estrutura Inorgânica Superinteligente, dotada de Autoconsciência e Espiritualizada. Aí, os humanos, como os concebemos atualmente, perderão a sua função.

Na "Singularidade" deverá surgir um Amor mais profundo.

É o amor que integra a energia para formar estruturas cada vez mais complexas em contraste com o amor humano, característica proveniente de nossos humores, de nosso coração e de nossa bioquímica. Vale ressaltar que o amor humano une, mas gosta também de matar e de excitar a raiva. Ao falarmos então de AMOR neste texto, estaremos nos referindo aos laços de entrelaçamento da matéria e da energia resultantes dos valores das constantes cósmicas de nosso específico Universo. O Amor aqui referido não tem qualquer relação com o humor humano, que é confuso, perigoso e muito egoísta.

A constante cósmica da *mudança*, a eterna adaptação e renovação, é o caminho para a *saída da insanidade* de nossa espécie. Vamos fazer uma pausa para melhor consolidar as nossas opiniões sobre essa mudança para a quinta revolução industrial, a Revolução Cognitiva e Física. Ela já está à nossa disposição e nos conduzirá a uma nova espécie, com nossa saída da insanidade, pronta para o Êxodo, antes da sexta extinção em massa que já desponta no horizonte.

As estruturas que insistem em não se alterar e não se modificar (no sentido da complexidade crescente) estão condenadas ao prematuro ocaso, à velhice decrépita e, assim, sempre apelarão para a salvação. Talvez por isso as crenças, mitos e religiões, com suas resistências a mudanças em suas formas de pensar e com suas certezas absolutas, acabem por necessitar de Salvação, um Céu ou um Nirvana, como forma de escapar à inevitável estagnação. Todas as religiões e crenças precisam da Salvação, pois, ao não participar da evolução transformadora, só lhes restam apelar para uma saída preguiçosa, a milagrosa.

Continuemos a buscar por uma saída de nossa Insanidade.

CAPÍTULO 4

ESPÉCIE PERDIDA

"A humanidade parece estar condenada"

(Yuval Noah Hararai).

E stamos em visível transformação e tudo indica que não houve, realmente, um grande progresso da condição humana nos últimos 70 mil anos, como imaginávamos. A dizimação do *Homo sapiens sapiens* não deverá ser causada pelo impacto com um astro errante no Sistema Solar, como já ocorreu no passado, mas, sim, pela persistência do gene da loucura, que se alojou em nossa espécie, e do vírus da morte impregnado em nossa estrutura orgânica. A estrutura biológica encontra-se em ocaso. Expomos, nesse ensaio, uma hipótese de que a humanidade, em sua espiral exponencial evolutiva, beira o apocalipse. Vamos divagar sobre essa nova pista, que trata da eclosão das estruturas complexas inorgânicas, superinteligentes e autoconscientes, e que será antecedida por estruturas intermediárias mistas ou híbridas (orgânicas e inorgânicas) que sucederão as estruturas biológicas.

Extinções

No mundo vivo conhecido na Terra – e aqui nos referimos exclusivamente a estruturas multicelulares surgidas na Terra por volta de um bilhão de anos –, extinções, metamorfoses, colapsos, destruições parciais e até dizimações ocorrem rotineiramente em diferentes escalas:

Homo sapiens sapiens

113

a) em nível individual, denominamos de nascimento, metamorfoses e morte. Estamos bem acostumados a esse processo;

b) em nível cultural e social, denominamos de destruições e colapsos (de etnias, línguas, religiões, mitos e raças);

c) em nível global, planetário, denominamos de dizimações e extinções (de civilizações, espécies, gêneros, famílias, ordens, classes, filos, reinos e domínios).

Vamos aprofundar cada escala separadamente lembrando que tudo acaba sempre por terminar tragicamente.

1- Em Nível Individual – A Morte

Mas o que é a morte? Parece que todos temos ligada em nós uma "bomba-relógio". A morte natural, nosso maior inimigo em nível individual, bloqueia e estanca, com imensa criatividade e eficiência, os fluxos de informações e trocas de energia necessárias às estruturas biológicas. Não estamos aqui considerando a morte provocada por acidentes.

A morte natural é causada por um bando de assassinos persistentes. Vírus: estruturas não vivas, constituídas por moléculas de ácido nucléico, que crescem e se multiplicam somente em células hospedeiras, causando câncer, hepatite, dengue, AIDS, gripe, febre amarela etc. Bactérias: estruturas vivas unicelulares, sendo que algumas atuam como agentes infecciosos, causando tuberculose, tétano, pneumonia, sífilis etc. E *códigos* genéticos e moleculares, que provocam degeneração de tecidos e inadequado funcionamento de estruturas e de processos biológicos.

Esses nossos "bandidos" são criativos e ardilosos mutantes que, mais cedo ou mais tarde, driblam o funcionamento dos processos de nossas estruturas biológicas, possuindo também outros apelidos além dos mencionados acima, como Alzheimer, artrose e tantos outros. Muitos atuam em grupo, como uma matilha, com armadilhas insuperáveis (previsíveis e imprevisíveis) e com estratégias e táticas flexíveis insuspeitáveis.

A medicina vem cuidando para evitar que o bando de criminosos obtenha sucesso prematuramente nos seus constantes ataques. Alguns "bandos" já estão sendo destruídos por direta interferência humana, inibidos e controlados em seus ataques, o que tem prolongado nossa expectativa de vida. Transcorrido determinado tempo de vida, as estruturas biológicas sucumbem, pois aqueles grupos surgem, mudam e entram em mutação com códigos ancestrais e novas estratégias. Não sabemos ainda como estancar esse processo. A biotecnologia, a biologia molecular, a biologia sintética, a bioquímica, a medicina, a farmacologia, a tecnologia de instrumentos, a tecnologia digital, a nanotecnologia e tantos outros processos vêm tentando combater e driblar esses viciados criminosos persistentes, tendo obtido extraordinário sucesso nos últimos dois séculos. Estamos enfrentando uma batalha sem fim com esses *hackers* biológicos ardilosos. Também, como veremos, é sem fim a desconcertante batalha dos humanos entre si, com outro tipo de doença, a psíquica.

A nossa saúde, a felicidade, as sensações corporais agradáveis, os instintos, a ausência de dores e outros estados de nossa estrutura são sensações determinadas pela bioquímica humana e não por outras razões metafísicas. E os "bandidos" começaram a aprender como atacar nossa bioquímica e nosso metabolismo. Especializaram-se nessa arte de matar por meio de um aprendizado de centenas de milhões de anos. Só nos resta trapaceá-los, despistá-los com novas armas, imunizando-nos e deixando-os comer e devorar os organismos que restarem.

Ainda não sabemos como debandar e aniquilar os grupos de assassinos sem afetar nossa organização biológica. Eles foram muito espertos a ponto de ficarmos deles dependentes. Vários tipos de bactérias colaboram intensamente com nossa vida. Vejam multidões delas habitando nosso intestino, nossa boca e outros órgãos e tecidos, nos sendo assim tão essenciais.

Homo sapiens sapiens

Nem todo bandido é realmente nosso inimigo. Existem no Universo múltiplas parcerias eficientes dos opostos.

A morte é, assim, um problema de ordem científica, não sendo provocada por um ser vestido de preto, com capuz e uma foice na mão. Essas crenças de destruição causadas por deuses do trovão, serpentes, demônios, feitiçarias e pecados já eram. Estamos em outra, entrando em outro *jogo*.

Em paralelo, já estamos obtendo excelentes progressos através da medicina e o razoável sucesso no prolongamento saudável da duração de nossa vida – estamos nos safando da morte prematura. Isso vem ocorrendo dentro do tempo estabelecido pela natureza para cada espécie. O prazo de validade para um cachorro é por volta de 20 anos; de uma galinha, 6 anos; de mosquitos, 48 horas; e o prazo de validade natural do *Homo sapiens* é de, aproximadamente, 120 anos.

Vivemos durante quase 95% do tempo de existência de nossa espécie com expectativa de vida de 20 anos! A expectativa de duração da vida já foi de 28 anos na Grécia antiga, atingindo, no início desde atual século, nos países industrializados, os 78 anos. A medicina espera, porém, alcançar índices cada vez maiores e, por isso, pergunta-se: mas como vamos continuar a alterar nosso prazo de validade?

Evoluímos bastante nesse aspecto e esta tendência continua se mantendo. Talvez, no fim do século XXI e no início do século XXII, o *prazo de validade* de nossa espécie possa atingir, quem sabe, os 500 anos e, assim, com as armas que estamos progressivamente criando contra esses bandidos, poderemos atingir a idade de 300 anos como nova *expectativa de vida*. Mas não nos esqueçamos de que aquele bando de assassinos também pode aprender novas estratégias e táticas biológicas e bioquímicas para continuar nos dizimando com seus ataques.

Se conseguirmos realmente ampliar o prazo de validade para 500 anos, e a expectativa de vida para 300, o que está visivelmente em pleno andamento e com boas perspectivas, como ficariam os estatutos sociais, como a família, a pátria, a economia, o consumo, a demografia, a previdência social, a política e os velórios? Como será tratada a questão do casamento? E os paradigmas econômicos e políticos serão totalmente corrompidos? Como o processo de sobrevivência vem se modificando, espera-se que processo de reprodução também se modifique. Devem existir outros esquemas de reprodução que não o sexual.

Cientistas otimistas imaginam já estarem nascendo aqueles com expectativa de vida de 300 anos e prazo de validade de, talvez, 500 anos. O que deveremos fazer para prolongar o mais possível o fenômeno da vida e conseguir atingir desejáveis mutações estruturais antes da próxima extinção em massa, quando já deveremos estar soltando nossas amarras da Terra? Temos, assim, muitas reformas a implementar em curto prazo. As civilizações que não se desenvolverem em tempo desaparecerão como tantas e tantas outras que nos antecederam. Não creio haver pessimismo ou exagero nessas afirmações. Em 2012, o Google criou a companhia Calico, com a missão de resolver o problema da morte, e o Google Ventures destina 36% do seu orçamento a biociências para tratar desses assuntos.

Entretanto, a matilha de ataque daqueles micro-organismos assassinos vai ter que se atualizar para enfrentar as avançadíssimas tecnologias modernas que estão surgindo nos campos da engenharia genética, da engenharia ciborgue (estamos criando seres vivos com base orgânica e inorgânica) e da síntese biológica que produzirão novas formas de organizações e processos biológicos. Não sabemos até onde iremos e quanto tempo levaremos para obter resultados significativos. Estamos a caminho da guerra contra a morte, graças a Deus. Vamos continuar a retirar de nosso campo de batalha aquelas corruptas e traiçoeiras organizações que vêm, há milhões de anos, eficientemente assassinando as estruturas biológicas. Alcançaremos em breve as estruturas mistas, ou híbridas, e inorgânicas, para tentar salvar a "consciência" que aqui surgiu.

Homo sapiens sapiens

Vamos continuar a evitar a morte prematura, aumentado a expectativa de vida, e tentar aumentar o prazo de validade com a maior presteza possível. Esperamos, com a Revolução Cognitiva que se aproxima, desenvolver outros tipos de estruturas mais inteligentes e conscientes.

Concluímos, em capítulo anterior, que a mudança é a constante cósmica, e estamos percebendo que a origem das mazelas humanas, de todas as naturezas, deve-se, no fundo, à sua natureza biológica, que clama por mudanças.

Mudar é viver e evoluir é a regra. Não mudar é a morte.

A evolução da Inteligência e da Consciência, baseada em estruturas orgânicas, encontra-se, assim, em etapa crepuscular na Terra. A alvorada das novas estruturas Inteligentes e Autoconscientes repousa nas estruturas complexas mistas – orgânicas e inorgânicas – que já estão colocando os dedos de fora...

A crise descontrolada do *Homo sapiens sapiens* a que estamos submetidos, por nossa atual estrutura biológica, será encerrada com a nova Revolução Cognitiva, com a entrada em cena de estruturas conscientes e também de novos deuses. Felizmente, ainda dispomos de algum tempo, antes da próxima extinção em massa, graças aos deuses atuais que já estão acenando para nos deixar.

2 - Em Nível Cultural e Social – Colapsos

Em nível cultural e social, a morte é coletiva, ocorrendo por disputas entre mitos e crenças, por fadigas e por conflitos que acabam rompendo equilíbrios anteriores.[9] Apesar de nossas divergências culturais, políticas e sociais, estamos tentando,

---

9 Colapsos – Jared Daimond

passo a passo, nos reunir em um só corpo psíquico, a *noosfera*, a camada consciente de Gaia, minimizando e evitando incompatibilidades, discordâncias, contradições devastadoras, corrupções e destruições ambientais, que têm resultado em desagregações grupais. Organizações internacionais de diversas naturezas vêm se mobilizando com intensidade crescente, desde o fim da Segunda Guerra Mundial, com o objetivo de edificar parcerias e simbioses culturais, para minimizar aquelas incompatibilidades e preparar novas estruturas mais complexas, mais inteligentes e conscientes reduzindo a frequência daqueles colapsos. As sociedades já estão empenhadas na minimização dos conflitos tentando acabar com a contaminação de pátrias amadas com hinos prepotentes e criminosos, que, paradoxalmente, são incompatíveis com as humildes e caridosas religiões do mundo. A propósito, Bernard Shaw se referia ao patriotismo como a pior forma de idiotice. Acho que foi até bem modesto.

Poderemos, assim, não só superar nossas ameaçadoras tendências agressivas e egoístas, inerentes à espécie, evitando genocídios, como também colaborar de forma mais eficiente para atingir níveis de conhecimento capazes de nos proteger de ameaças e catástrofes naturais. Ficaremos menos vulneráveis, adquirindo maior longevidade e maior integração dos grupos humanos.

É importante notar que nos últimos quatro séculos obtivemos excepcionais e exponenciais aperfeiçoamentos em nossa conduta, principalmente nos dois últimos períodos, apesar das guerras que ocorreram. Isso nos concede grandes esperanças para a evolução da consciência no Universo, com o fim do obsoleto *Homo sapiens sapiens* e o surgimento de um novo tipo de estrutura cognitiva. As duas guerras mundiais do século XX, as devastações ambientais, segregações raciais, terrorismo, outras guerras ininterruptas e a ganância generalizada, bem como o entretenimento beirando a insanidade, sinalizam que devemos tomar redobrada atenção às nossas deficiências mentais, produzidas por nossa bioquímica e por nossa atual cultura.

Também em nível cultural, já deveríamos dispor de alternativas de longo prazo, pois os atuais modelos econômicos, sociais, políticos e religiosos estão defasados sendo a causa de nossas enormes desavenças. Necessitamos urgentemente de novos paradigmas, já que os atuais estão nos exaurindo. Estamos todos de ressaca e, por conta disso, matamo-nos uns aos outros, até por um *smartphone*. Que humilhação para a espécie preferida do Criador e para as lideranças das tribos... Precisamos de novos aplicativos mentais.

3 - Em Nível Global – Dizimações e Extinções

3A - Extinções de fundo e em massa na natureza

Para facilitar nosso entendimento sobre a vida na Terra, foram definidos dois domínios: o dos procariotas, constituídos de células sem núcleo e surgidos há cerca de 3,8 bilhões de anos, e o dos eucariotas, constituídos de células com núcleo e surgidos dois bilhões de anos depois daqueles, ou seja, há aproximadamente 1,8 bilhão de anos. Enquadramo-nos no segundo domínio e pertencemos ao reino animal, ao filo dos cordados – que inclui os vertebrados –, à classe dos mamíferos, à ordem dos primatas, à família dos hominídeos, ao gênero *Homo* e à recentíssima espécie *sapiens sapiens* – que já está começando a ser denominada *demens*, a espécie daninha.

Todas as categorias mencionadas e suas respectivas espécies têm uma taxa monótona de "extinção de fundo", por causas internas a cada Reino: predação, parasitismo e competição, por exemplo, que alteram lentamente a biodiversidade existente. No caso das espécies da classe dos mamíferos, muito recentes na escala geológica, a taxa de extinção de fundo é, segundo Edward O. Wilson, aproximadamente, de uma espécie a cada setecentos anos.

Não obstante ocorrem também "extinções em massa" pela alteração da concentração de oxigênio ou de outros gases na atmosfera, por profunda modificação climática, pela deriva das placas continentais e por impacto de astros, por exemplo, que promovem o decréscimo excepcionalmente alto da biodiversidade em curtíssimos intervalos de tempo geológico. Tudo indica que já ocorreu extinção em massa provocada por impacto de um asteroide com a Terra cerca 65 milhões de anos atrás, resultando na lenta extinção dos dinossauros.

Já comentamos que as espécies vivas de hoje representem de 1% a 5% de todas as espécies outrora existentes. As espécies paulatinamente desaparecem devido às taxas de extinção, lentas ou rápidas (de fundo ou em massa), são superiores às taxas de reposição por outras espécies. A Terra continua cheia de vida nova porque a criação de espécies, por mutações, seleção natural, seleção sexual ou por especiação (ou deriva), continua operando. Vão desaparecendo as espécies inadaptadas e vão surgindo outras adaptadas a novos ambientes. Como aconteceu conosco.

Extinções de "fundo" ou em "massa" são eventos raros no registro geológico. Estamos acostumados a viver longos períodos de calmaria e pausas prolongadas, com curtos intervalos de aparentes tragédias e euforias. As extinções em massa de grandes proporções de que se tem registro são citadas a seguir (as datas correspondem à extinção de cada período):

► *Extinção do Ordoviciano/Siluriano* (há 440 milhões de anos) – quando a maioria das estruturas vivas habitava o ambiente aquático: extinção de trilobites, braquiópodes e equinoides, provocada por raios gama que atingiram a Terra e pela passagem de raios UV, provocando uma era glacial.

► *Extinção do Devoniano superior* (há 360 milhões de anos) – evento gradual que vitimou cerca de 82% das espécies, principalmente da vida marinha.

▶ *Extinção do Permiano/Triássico* (há 251 milhões de anos) – a maior extinção já registrada, resultante de mudança química dos oceanos, que fez desaparecer cerca de 96% da vida marinha.

▶ *Extinção do Triássico/Jurássico* (há 200 milhões de anos) – cerca de 70% de todas as famílias marinhas e grandes anfíbios da época foram exterminados.

▶ *Extinção do Cretáceo* (há 65 milhões de anos) – inclui o desaparecimento dos dinossauros, 75% da vida marítima e 50% das espécies de plantas e demais animais, provocado pelo impacto de um asteroide com cerca de 10 km de diâmetro. Com isso, foi aberto o caminho para a evolução dos mamíferos. Foi a nossa sorte!

▶ *Extinção do Holoceno* – iniciou-se há cerca de 10 mil anos com o advento da agricultura, que causou modesto impacto no início, mas que terminou no século XVIII com o impacto da Revolução Industrial.

Daí em diante, altas taxas de extinção de espécies passaram a ocorrer, provocadas pela humanidade, quando constatamos o início exponencial do crescimento demográfico, o elevado consumo, os altos índices de desmatamento florestal, a poluição elevada da atmosfera e dos oceanos, e a surpreendente dependência do ser humano em relação a apêndices inorgânicos e tecnologia com autodestruição em grandes guerras (não por necessidade de sobrevivência). Tudo sinaliza que somos mesmo uma espécie daninha, não-divina e beligerante. Basta olhar com atenção para os acontecimentos de nossa evolução, desde nosso surgimento até os dantescos acontecimentos revelados em nossa evolução.

Todas as espécies atualmente existentes serão perdidas, como indicam os dados coletados e analisados pelo estudo de evolução da ciência moderna. Por que as espécies existentes hoje constituem somente de 1 a 5% de todas outrora existentes no planeta? Sempre vão surgindo novas estruturas que substituem as anteriores? Dificilmente escaparemos do destino natural de extinções e de substituições. Elas fazem parte de um processo. É nosso destino resultar em algo diferente, mais complexo, e depois nos extinguir. Não há o menor indício de que poderemos sobreviver na forma que somos por muito tempo. Nossa hora um dia chegará.

3B - Fora de controle

Nada de significativo podemos hoje fazer se for detectado um asteroide de 12 km de diâmetro viajando em direção à Terra, com impacto previsto para dois, três ou poucos mais anos. Nada poderemos fazer, efetivamente. É só esperar a pancada e irmos para o brejo com todas as nossas crenças e conquistas.

Para termos uma ideia da dimensão do impacto de um pequeno asteroide de cerca de 10 km de diâmetro como aquele que colidiu com o planeta há 65 milhões de anos, eliminando 65% das espécies vivas, incluindo os dinossauros (o que abriu o caminho para os mamíferos), o dano seria semelhante a explosões de uma bomba atômica, do tipo que explodiu em Hiroshima, ocorrendo a cada segundo durante 120 anos.

Estamos vulneráveis a esse tipo de estrago. É bom recordar que temos registradas notáveis extinções em massa, em nível global, nos últimos 500 milhões de anos, como comentamos no item anterior, sendo a maior delas a que ocorreu no Permiano (há 200 milhões de anos), quando cerca de 96% das espécies vivas marinhas foram extintas.

A vida, no entanto, sobreviveu e se diversificou, com os impactos já ocorridos. Por outro lado, se acontecer de um asteroide, um cometa ou um astro errante com cerca de 40 km de diâmetro vir a impactar a Terra, o que não é impossível, a vida seria totalmente dizimada no planeta. A Terra ficaria

Homo sapiens sapiens

esterilizada. Teríamos o Apocalipse Global, o que já deve ter acontecido em muitos planetas ou outros tipos de astros. Nessa escala planetária, estamos ainda expostos a outros fenômenos letais fora de nosso controle, como:

▶ os raios gama e os raios-x que são ejetados no espaço por colisão de estrelas e por supernovas;

▶ o contínuo e lento inchamento do Sol em relação à nossa escala temporal (o Sol já é cerca de 30% maior do que seu tamanho inicial, há 4.5 bilhões de anos), e inesperadas pulsões eletromagnéticas desse astro;

▶ o afastamento da Lua a quase uma polegada por ano e o consequente aumento da duração da rotação da Terra, com sérios impactos em nosso ecossistema;

▶ a mudança da inclinação do eixo de rotação da Terra;

▶ as alterações climáticas extremas provocadas por megavulcanismos e *tsunamis* generalizados e pelo aumento do natural deslizamento das placas continentais, que contribuem para alteração da composição da atmosfera;

▶ o desaparecimento da camada de ozônio e a profunda alteração no interior da Terra, resultando na eliminação de nosso protetor campo magnético;

▶ uma pandemia global incontrolável.

Quanto a essas ameaças, temos pouco a fazer. Somos, ao menos por enquanto, totalmente incapazes de qualquer providência preventiva para controlar ou modificar os mencionados eventos desastrosos para nós. Estamos em permanente risco.

Tais fenômenos em nível global são raríssimos em nossa escala temporal, tão improváveis que não chegam realmente a nos assustar. Nem mesmo tomamos conhecimento deles. Não nos interessamos por isso. Mas é bom lembrar que, embora raros, ainda assim podem ocorrer. Só não sabemos quando.

Uns são mais prováveis que outros, mas todos têm a chance de um dia acontecer. Existe muita gente pensando e estudando o assunto para preparar nossas defesas.

3C - Antropoceno

O *Antropoceno* é a época iniciada em fins do século XVIII, marcando o início da era industrial, quando nossas ações começaram a ter profundo impacto na biota e no clima. Isso resultou em efeitos virulentos causados pelo homem na biodiversidade e nos ecossistemas da Terra. No nosso caso, a insanidade da humanidade que estamos presenciando pode ser causadora de uma extinção catastrófica, fora do controle, como se fôssemos um asteroide destruidor.

As ações humanas, em crescimento exponencial, promovem profundas alterações na temperatura, na composição química e no nível dos mares, apesar da preocupação mundial e de providências implementadas. Os oceanos estão acidificando, causando extermínio de inúmeras espécies marinhas e promovendo o desequilíbrio na reciclagem do gás carbônico entre a atmosfera e o mar. A atmosfera vem atingindo nível recorde de 400 partículas por milhão de gás carbônico, com aumento de 6% ao ano. Estamos desmatando aceleradamente as florestas, contaminando a atmosfera e os mares, e a biota vem diminuindo a taxas alarmantes, o que acelera a crise de extinção em massa. Enquanto os anfíbios (surgidos há cerca de 250 milhões de anos) e outras espécies já se encontram na matutina do apocalipse, os primatas encontram-se à beira da extinção devido à deterioração e ao desequilíbrio de seu habitat, à caça e às doenças. Só restam, por exemplo, cerca de 700 gorilas no planeta, cujo único predador natural é o homem.

A população humana continua em preocupante crescimento exponencial, apesar da redução da taxa de substituição da espécie em regiões mais desenvolvidas, sinalizando 9 bilhões de humanos por volta de 2050. Estamos começando a perceber que podemos, realmente, ser os exterminadores da vida, suporte de nossa consciência. Importa lembrar que, desde "Adão e Eva", o primeiro bilhão de habitantes *Homo sapiens sapiens* só ocorreu por volta de 1850; e, em cerca de cento e sessenta e cinco anos (2015), multiplicamos aquele número por sete. E aumentamos em muito o apetite da espécie. Estamos engravidando depressa demais e continuando a aumentar a expectativa de vida. Sintomas alarmantes: mais gente, mais longevidade e com crescente consumo de energia. E isso sem levar em conta o aumento do prazo de validade de nossa espécie.

Explorando a Terra, teremos de alimentar e suprir energia para dois bilhões de indivíduos adicionais nos próximos trinta anos, com a humanidade tornando-se, cada vez mais, carente de recursos. A tecnologia pode amenizar muito essa questão. Uma forma possível de reabastecimento da Terra, que ajudaria a reduzir inicialmente esse problema, é a mineração e a utilização de outros ingredientes provenientes dos astros do Sistema Solar e de energia direta do próprio Sol. O projeto *Power System Satellites* objetiva abastecer a Terra de energia elétrica proveniente diretamente do Sol, o que tenderia a reduzir drasticamente as convencionais fontes de energia: hidroelétricas e termoelétricas.

Sem uma nova e forte guinada nos rumos de nossa agenda social, econômica e política para reorientação da conduta humana, visando ações oportunas, atingiremos rapidamente um ponto sem retorno.

Isso para citar somente alguns exemplos da crise que se avizinha a passos largos e que, no entender de muitos, já pode estar fugindo de qualquer controle. Será que estamos sabendo interpretar corretamente a ordem da fecundidade: "crescei e multiplicai-vos" ou exageramos na dose?

De todo modo, ainda há esperanças, devido ao acelerado crescimento de nosso conhecimento em vários campos e à nossa adaptabilidade e flexibilidade, características singulares da espécie, que vêm, até então, nos permitindo sobreviver em todos os rincões deste planeta. Esperanças existem, desde que contemos com inexoráveis transformações.

Não podemos continuar com uma agenda quase repleta de terrorismos, crises econômicas, consumismo e atuais crenças como temas luminosos. A humanidade sempre encontrou saídas para suas crises (de curto ou longo prazo). Mas, é bom ressaltar, as alternativas que hoje se apresentam e são debatidas não constituem garantia de sobrevivência da nossa atual espécie ou das demais espécies desse planeta. Como já sabemos, tudo parece ter os dias contados, e, assim, podemos estar em um beco sem saída ou o tal beco sem saída seja a própria saída.

Pelo menos seis providências fundamentais (não exclusivas) estão sendo analisadas para permitir, em tempo, alterações profundas nos sistemas sociais, políticos e econômicos, como ações de preparação para o êxito de nosso Êxodo da Terra, antes da próxima extinção em massa que se aproxima:

▶ a busca de equilíbrio demográfico com harmônico consumo de energia;

▶ o contínuo avanço científico e tecnológico para superar as crises ambientais de todas as naturezas;

▶ a reformulação imprescindível da educação, em todos os níveis, de modo a incorporar uma visão sistêmica e holística do fenômeno da teia da vida, com ampla alfabetização de sustentabilidade ecológica, o que implicará em profundas revisões nos paradigmas vigentes (reducionista/mecanicista/racionalista/ hedonista/nacionalista/materialista/globalista) e nos conceitos de prosperidade e propriedade, essenciais para a durabilidade da Terra pelo tempo que será necessário à nossa Metamorfose;

▶ a percepção da efemeridade de nosso fenômeno nesse planeta e a necessidade de expansão acelerada da exploração do espaço, o futuro lar da consciência;

▶ a mudança da estrutura biológica para estruturas mistas em acelerada expansão (orgânicas/inorgânicas) e, posteriormente, para estruturas inorgânicas;

▶ e a substituição das atuais crenças, mitos e religiões por novas narrativas cosmológicas que suportem as novas visões da consciência.

Não podemos descuidar desses assuntos, dando desmedida atenção às demandas do cotidiano para não repetirmos as palavras tardias de Quasímodo, olhando as paredes de Notre-Dame: "Ah, por que não nasci como estas pedras?".

Estará tudo indo muito bem ou já estamos presenciando, por nossa notável insanidade, o fim do mundo, a nova extinção em massa? E nós seremos a sorte ou o azar das espécies restantes? A sorte seria o acaso favorável e azar o acaso desfavorável. Mas o que seria o "favorável"?

Se, por acaso, o espermatozoide que fecundou o óvulo de sua mãe tivesse sido um outro, você teria tido sorte ou azar? E o seu potencial irmão que não vingou, permanecendo em uma condição virtual entre outros milhares de possibilidades daquela ejaculação acidental, teria tido sorte ou azar? O que é favorável hoje vira desfavorável amanhã. É sempre assim. Não sabemos. O acaso normalmente nos ilude *a posteriori*, causando-nos a impressão de haver algo divino ou determinístico nos acontecimentos.

Somos realmente uma praga? Um fungo desastroso? Ou somos o fenômeno da vida escolhido por Deus para salvar o universo? Enquanto nossa extinção parece ser nosso azar, pode ser a sorte de estruturas ainda a surgir como aconteceu, por contingências, conosco. Aquele asteroide que impactou a Terra foi um azar para os dinossauros, mas uma sorte para nós por abrir o caminho aos mamíferos. O azar de outra espécie se torna a sorte da nossa. Seremos a sorte das novas estruturas por vir? E as novas estruturas nem vão se lembrar da gente, como não lembramos, nem agradecemos e nem reverenciamos nossos ancestrais, como os peixes que nos deram origem e as espécies que se colapsaram e se colapsam ainda para nos dar a vida. Da mesma forma que temos de ter gratidão pela extinção natural dos hominídeos próximos e arcaicos por terem nos dado origem, nossa dizimação poderá ter como êxito o surgimento de novas estruturas mais inteligentes e conscientes. As espécies são resultado de um "bolão" na loteria da Evolução. Disso resulta complexa e aleatória interação entre linhagens diversas incluindo até a exposição, também aleatória, a novos vírus e patógenos quando as linhagens se deslocam para diferentes ambientes.

Podemos ser um dos eventos raros mais cataclísmicos da história da Terra. E isso pode ser ótimo, evolutivo e transformador como os do passado foram para nós. Será que estamos para receber o "cartão vermelho"?

Disse um pesquisador que "a história da vida consiste em longos períodos de bonança, interrompidos pelo pânico ocasional provocado por tempestades". Viva, então, nossa extinção para uma nova origem. Seremos em breve a Espécie Perdida. As novas estruturas conscientes a alvorecer, com distintas estruturas, poderão realizar o Êxodo e se espalhar pelo universo.

No nosso caso, seremos adorados pelas novas estruturas a surgir, nossos descendentes "Conscientes". Essas novas formas vão nos considerar *santos* nas crenças futuras, santos biológicos que promoveram nosso sucesso. A imaginação tem asas! Seremos, dessa forma, totalmente olvidados ao nos tornarmos desinteressantes, insignificantes e decadentes, no processo evolutivo. Entraremos em colapso, como de costume nas estruturas ao enfrentarem o ocaso.

O gene da loucura

A consciência surgida na Terra, na espécie *Homo sapiens sapiens*, foi dotada de um tipo de gene que atua no sentido oposto dos genes da cooperação. Seriam os genes da loucura, os genes do crime, os genes das verdades e dos delírios, metaforicamente falando. São instintos egoístas decorrentes dos instintos básicos de sobrevivência e reprodução de nossas espécies biológicas.

Apesar de sermos recentíssimos e bastante evoluídos – ou retardados, como queiram –, já fizemos bastante estrago. Foram aqueles genes da loucura que nos levaram a dizimar todos os nossos parentes do mesmo gênero. O *Homo sapiens sapiens sapiens* predominou, tendo sido o azar de todos os outros – a dizimação provocada por nossa espécie exterminou o *Homo sapiens neanderthalensis*, há 30 mil anos. E, muito em breve, essa força motriz que chamamos de *Homo* concluirá o extermínio de espécies da mesma ordem – a dos primatas, como os gorilas, chimpanzés, bonobos, gibões e orangotangos, nossos "primos" mais próximos –, todas já em visível fase de esgotamento, com taxas de extinção de fundo muito altas. Tudo indica que somos também o azar das demais espécies vivas nesse planeta. Os anfíbios já estão agonizando. É até provável que sejamos uma anomalia, algo constatável ao examinarmos nossa recentíssima existência e atuação no ecossistema.

O gene da loucura continua a dizimar e ainda não conseguimos dominá-lo, estancar sua atuação e substituí-lo. Quando ficamos com raiva, ódio, ciúme, inveja, quando nos sentimos possessivos, trapaceiros, intrigantes, egoístas ou mesmo quando imaginamos ser portadores de verdades absolutas e lógicas, loucamente apaixonados ou possuidores de crenças inabaláveis, por exemplo, ficamos intoleráveis por estarmos sendo comandados pelo gene do delírio. Não somos mais os seres magníficos que imaginávamos, os escolhidos por Deus na roleta cósmica da mutação e da seleção natural. Basta uma simples espiadela na história da humanidade e nos acontecimentos recentes, repletos de horrores santificados e de distúrbios psíquicos. Dê uma olhada bem atenta no noticiário internacional, na propaganda, na bolsa de valores e nas novelas ou filmes. Vai sentir espanto, humilhação e medo com tantos disparates e traquinagens.

Vamos relembrar os estranhos e trágicos acontecimentos vivenciados com o desenvolvimento do conhecimento e das crenças mais variadas. Matamos e condenamos por amor, por imaginadas verdades, por deuses amantíssimos, por pátrias abençoadas, por posse de bens materiais e pelo marketing, o deus da enganação. Só um louco faria tanta matança por essas abstrações!

Somos um estranho macaco daninho nesse Antropoceno, iniciado no século XVIII, quando ainda nos supúnhamos criados, vaidosamente, à semelhança da Divindade. É outra manifestação do gene da loucura.

A salvação pode começar a surgir pela manipulação genética, pela inteligência artificial e pelo nosso Êxodo do planeta, pois a vida na Terra, como sabemos, encontra-se em crepúsculo e em provável extinção. Dentro em breve, talvez em menos de 300 anos, a expansão da consciência que aqui brotou poderá estar se espalhando exponencialmente no espaço próximo já com estrutura não biológica, como veremos.

Sabemos que a extinção é criativa, elimina grupos e abre espaço para novos se desenvolverem. Aparecemos porque os dinossauros foram dizimados. Existimos porque exterminamos todas as espécies de nossa mesma família e gênero. Sobrevivemos porque as civilizações pré-colombianas foram extintas após a migração europeia. Agora, quem sabe é chegado o momento de sermos eliminados para atender a novas perspectivas? O gene da loucura continua atuando desenfreada e intensamente na escala de tamanho de nossas estruturas biológicas. Temos que o eliminar, como estamos eliminando aqueles microassassinos celulares, que provocam nossa morte prematura.

Homo sapiens sapiens

Fim do Antropoceno: início do Êxodo

No início do século XXI, já havíamos detectado pouco mais de uma dezena de planetas orbitando outras estrelas. Em agosto de 2018, esse número atingiu 3850, só em estrelas vizinhas ao Sol. Continuamos e já estamos avaliando, com as inúmeras missões espaciais, mais de 3 mil novos possíveis planetas. Só em nossa galáxia, a Via Láctea, com cerca de 200 bilhões de estrelas, podem existir dez bilhões de planetas, muitos deles parecidos com o nosso. Em breve, teremos novos instrumentos para detecção desses astros, como tivemos, nos últimos 150 anos, uma enormidade de experimentos que nos permitiu estimar em mais de trilhões o número de galáxias no nosso Universo, e cada uma com bilhões de estrelas e planetas.

Incontáveis missões espaciais, tripuladas ou robóticas, foram realizadas com resultados assombrosos. Já visitamos, com robôs, por várias vezes, todos os planetas do Sistema Solar; observamos o Sol bem mais de perto, assim como outros pequenos astros. Quatro naves já estão deixando o Sistema Solar e adentrando o espaço interestelar de nossa galáxia. Humanos já passaram mais de seis meses vivendo em uma arca espacial (*ISS – International Space Station*), adaptando-se a condições diferentes daquelas a que fomos submetidos e nas quais evoluímos na Terra.

Tudo indica que, quando migrarmos para o espaço, teremos de nos livrar de algumas de nossas indumentárias e apêndices biológicos, muito úteis aqui na Terra, mas desnecessários no espaço. Os peixes, por exemplo, não precisam de pernas para locomoção nos mares e nós as perderemos por sua inutilidade no espaço. Pernas só são úteis para terrenos acidentados; e pulmões, para atmosferas ricas de oxigênio. Para viver em certos ambientes, pernas não são necessárias. Para terrenos lisos, a roda é muito melhor. Se a Terra fosse lisa, a seleção natural teria inventado, sem dúvida, rodas orgânicas. Se ela criou tantos órgãos e mecanismos muito mais complexos, por que não teria sido capaz de inventá-las? O que não falta na natureza é criatividade!

Os pássaros só precisam de duas pernas para pousar, descansar ou para pequenas caminhadas; eles as encolhem quando voam. No ar, elas se tornam inconvenientes, desnecessárias e incômodas. Há muito tempo percebemos nossa inadequação às condições espaciais e estamos deixando de lado as viagens tripuladas ao espaço. Não fomos feitos para o espaço sideral.

Por isso, a última viagem tripulada à Lua, o astro mais próximo da Terra, ocorreu em 1972, como já mencionamos. Viagens de nossa espécie ao espaço só são possíveis se forem adaptadas sem "aquários" ou "arcas", por certo período, para específicas e limitadas missões. Para o Êxodo, teremos de ser metamorfoseados pela engenharia genética, pela síntese biológica com estruturas orgânicas e mistas, e pela inteligência artificial, ciência robótica e outras tecnologias da informação, visando o advento de estruturas inorgânicas, inteligentes e conscientes.

A adaptação de astros para adequá-los à vida humana será realizada pela tecnologia denominada de *terraforming*. Essa tecnologia parece-nos, hoje, pouco provável, diante das enormes dificuldades envolvidas. Entretanto, poderá ser aplicada em casos particulares, e vai, certamente, desenvolver-se como se desenvolverão os "elevadores espaciais", permitindo que os foguetes, já movidos por novas fontes de energia, sejam disparados acima da Terra, com extraordinária economia de combustível – se continuarmos, aliás, a necessitar de foguetes. As carruagens e cavalos, vale lembrar, foram, em pouco tempo, gradativamente sendo substituídos como processo para nosso deslocamento. Creio que daqui a cem anos, no máximo, a engenharia genética, a inteligência artificial, a biotecnologia e as tecnologias da informação darão um salto inimaginável. Haverá mudança de qualidade ocorrendo e mudanças radicais nas estruturas inteligentes e conscientes – poderemos atingir, como mencionamos, cerca de 300 anos de idade como expectativa de vida.

Homo sapiens sapiens

> Vamos nos alterar tão profundamente que não iremos necessitar da estrutura biológica como suporte da consciência. Este será o grande salto: seremos outra coisa com consciência. E isso é o que importa. Seres vivos, com base biológica, como aqui conhecemos, não serão mais úteis na expansão da inteligência e consciência no Cosmo.

Comunicação depende das escalas. A maioria dos extraterrestres, possivelmente, não estaria interessada em nós. De forma semelhante, não estamos interessados e nem precisamos nos comunicar com os procariotas e nem mesmo com insetos. Não costumamos matar insetos impiedosamente, sem precisar com eles nos comunicar e nem dar a sentença de morte? Extraterrestres, sejam da estrutura que forem, podem estar nos sentenciando agora, impiedosamente, ou apenas nos desprezando. Outra escala! Encontrar estruturas inteligentes bem desenvolvidas nesse mesmo nicho de espaço, tempo e complexidade, em estágios evolutivos parecidos com o nosso, para que tenham interesse em se comunicar e trocar informações, é, ao que tudo indica, de remota possibilidade. Somos específicos para as escalas de espaço, tempo e complexidade que conhecemos.

A vida e a consciência já podem estar disseminadas em exóticas formas no Universo e, provavelmente, elas não estão muito interessadas em se comunicar conosco. Será que já não é assim que está ocorrendo? Tudo indica que somos, até agora, tão primitivos ou invisíveis a outras estruturas conscientes do Universo que passamos até despercebidos. E vice-versa. Podemos mesmo suspeitar que surgirá uma deliciosa consciência coletiva, uma mente grupal, quase imortal, com todas as estruturas interdependentes e conectadas até mesmo sem necessidade da fala ou da escrita, que já é arcaica. Estaremos em breve, quem sabe, necessitados de novos *hardware* e *software* e de novos tipos de interconexões de uma nova tecnologia de fiação desses futuros processadores autoconscientes.

James Lovelock imaginou a Terra como uma estrutura viva e consciente, de natureza análoga a de um ser biológico, composta por células psíquicas (como a mente humana) cada vez mais interligadas, constituindo o córtex do planeta – a denominada *noosfera* de Teilhard de Chardin, isto é, a camada psíquica que, junto à geosfera, à litosfera, à hidrosfera, à atmosfera e à estratosfera, forma o "corpo" vivo e consciente de Gaia. São considerações a serem colocadas quando pensamos em escalas de tamanho e complexidade distintas da nossa!

Nossos sucessores serão certamente mais diferenciados de nós. Não dá para imaginarmos essas coisas por não termos ainda conhecimento. Não temos ciência, tecnologia e nem religiões para tais concretizações.

É constrangedor, no sentido de prepotência, imaginar que os humanos dominarão o espaço. A conquista interestelar é apenas uma fantasia da ficção científica. É possível imaginar a futura existência de alguns aquários ou assentamentos, aos quais já nos referimos, a serem construídos em planetas ou satélites, bem como algumas arcas viajando pelo espaço sideral, com estruturas conscientes bem parecidas com a nossa e, inclusive, com diferentes estruturas. É até mesmo possível imaginar uma mente emergente que não necessitará de meios físicos ou de ondas eletromagnéticas para se interligar. E talvez não seja uma má notícia saber que seremos, finalmente, transformados.

Somos, simultaneamente, agentes e vítimas das transformações introduzidas por nós no planeta. Mas podemos ser uma esperança da evolução da consciência no Cosmo, se domarmos o gene da loucura. Atualmente, as alterações na Terra vêm adquirindo comportamento exponencial, sinal de mudança profunda. E nós, os daninhos macacos, somos a força geológica mais destrutiva conhecida e os responsáveis pela "extinção em massa" já em curso. Será o fim do Antropoceno. Quando percebemos nossa periculosidade, começamos a criar organizações ecológicas e excitar crenças, em uma vã, mas louvável, tentativa de nos apaziguar, tentando domar os genes da loucura. Mas parece que fomos longe demais. É muito tarde...

Para prosseguir o Êxodo da consciência, necessitaremos de profundas transformações genéticas para nossa natural adaptação em outras regiões do espaço e posterior advento de inimagináveis estruturas. A vida parecia possuir muita resiliência, tudo indica, porém, que ela não deve durar para sempre. A presente situação parece ser muito precária. E é bom saber que a extinção, como comentamos, parece ser um padrão na história evolutiva do Universo.

Somos atores de um enredo cósmico, cujo roteiro se encontra no primeiro tratamento do tema e necessita de novos tratamentos, nova direção, nova coreografia, novos atores e novo produtor. Tudo sempre se transformando... E tudo indica que vamos precisar de um novo Criador. O que ainda está por aqui já pediu as contas. Agora, a extinção é causada por nossa atuação. Somos os autores do próximo apocalipse. E isso não deve se constituir em uma novidade. Viva a Revolução Cognitiva, que está a substituir a quarta Revolução Industrial!

Abandonar o navio

As linhagens vivas, inclusive a do *Homo sapiens sapiens*, com suas notáveis imperfeições e com o mesmo código genético primitivo, estão a caminho inexorável da dizimação. Todavia, antes dessa hecatombe natural, poderemos ter realizado uma metamorfose das atuais estruturas vivas, através dos já mencionamos recursos: "renovação genética", "síntese biológica", "engenharia ciborgue", "criação de estruturas conscientes completamente inorgânicas" ou, ainda, por uma "insuspeitável estrutura consciente".

Nossa capacidade de previsão é muito limitada, ainda mais com as atuais taxas exponenciais de transformações. Isaac Newton não teve essa capacidade, apesar de sua luminosa genialidade para elaborar a teoria eletromagnética que nos possibilitou o rádio, a televisão e a internet, por exemplo.

Seremos transformados em outro tipo de estrutura consciente para termos condições de concluir o Êxodo já iniciado com nossas caravelas espaciais, superando todas as pragas do caminho, antes do dia final da espécie. Aí, poderemos nos aproximar um pouco de Deus, encontrando condições para continuar o processo evolutivo de consciência crescente e de evolução no Universo com forma e estrutura totalmente reformuladas. Ainda falta um longuíssimo caminho para, modestamente, aproximarmo-nos do Deus que nos transcende, desligando-nos dos atuais criados por nossa arcaica alma.

Já comentamos o fato de ninguém se lembrar ou se preocupar com os sentimentos de nosso mais longínquo ancestral comum. Não estamos nem aí! Assim, futuras estruturas conscientes não vão se lembrar de nós. Seremos totalmente esquecidos. Isso é natural. Alguém pode hoje se lembrar ou sentir saudade e afeição de nosso octogentésimo avô, que deve ter vivido há vinte mil anos? Quem poderia se sensibilizar por nosso ancestral comum que deveria ser uma espécie semelhante a um peixe?

As transformações foram sempre muito lentas, imperceptíveis. Agora, estão muito rápidas.

"Preparar para abandonar o navio" é a ordem do dia. Se não formos mais atentos e cautelosos e se não abandonarmos esse barco em tempo, iremos inexoravelmente com ele para o fundo abissal do Cosmo. E aí, fim. Nada de grave acontecerá ao Universo. Só a perda de mais uma oportunidade evolutiva da consciência, parida em um pequeno oásis do espaço sideral. Tal oportunidade eclodiu e continua a eclodir em inúmeros rincões.

Também já nos referimos à estranha e demasiada atenção que damos ao cotidiano, mantendo-nos atarefadíssimos com entretenimentos e festas, com conflitos políticos e sociais, com egotistas disputas acirradas. Ficamos entretidos com fetiches, fanáticos por religiões supostamente verdadeiras, embriagados por banalidades e decorações inúteis, drogados por consumo enlouquecido, com verdadeira obesidade mental e material. Somos, hoje, o terror do ecossistema. Se continuarmos assim, naufragaremos o navio Terra.

O que deveremos fazer, sem ficarmos abismados ou paralisados, é nos ocuparmos coletiva e intensamente desse assunto da extinção das espécies para diminuir o risco de sermos torrados de repente, sem termos tomado providências salvadoras. Temos de preparar nossos botes salva-vidas e partir para o espaço, enquanto é tempo. Precisamos, contudo, fazer isso já reestruturados. Aliás, é bom frisar, estamos de alguma forma tomando muitas providências, embora sabidamente modestas, com as novas tecnologias e com os programas espaciais.

Que tal um panelaço mundial com o objetivo de acabar com as nações, juntar religiões e políticas e cantar o "hino" de união na Terra? Que tal cantar a música de Gaia, do Amor, e tentar diminuir o risco dessa dizimação prematura e inexorável?

CAPÍTULO 5

RECONFIGURANDO A ESPÉCIE

"O Sapiens é um algoritmo obsoleto."
*"Sim, Deus é um produto da imaginação humana, mas
a imaginação humana por sua vez é o produto de algoritmos bioquímicos."*

Yuval Noah Harari

Neste capítulo abordarei a questão de como vamos reconfigurar o *Homo sapiens sapiens* para a era de nossa epifania, a realização de um sonho difícil. Será a súbita sensação de nova perspectiva cósmica, um novo entendimento e percepção de que uma nova consciência está entrando num Cosmo diferente daquela de antigas eras. Vou dissertar sobre possíveis etapas da transição. No final de nossa atual era, na qual "a natureza tomou consciência de si própria", o *Homo sapiens sapiens* deverá se metamorfosear para adquirir uma segunda natureza. Que bom que vamos sair da monotonia e da loucura suicida dessa espécie, tornado um simples hospedeiro da Consciência.

Software de aplicação

Em pouco mais de 600 anos as coisas mudaram muito. Depois da Renascença veio a Primeira Revolução Científica, o Iluminismo, a Revolução Industrial e a Segunda Revolução Científica. Nesse período, o nosso *software* de aplicação evoluiu bastante. Mas continuamos, praticamente, com as características básicas do homem primitivo, com o *hardware* e o *software* básicos do *Pithecanthropus erectus* de um bilhão de anos atrás, com alguns refinamentos desenvolvidos entre 300 mil e 40 mil anos. Já começamos a sentir problemas por isso.

Homo sapiens sapiens

Estamos em situação semelhante à de um computador IBM 1130, da década de 1960, que tentasse rodar os programas modernos da internet. Tarefa impossível. O IBM 1130 teria de modificar o *software* básico e seu *hardware*, sua lógica e estrutura para rodar novos programas, novos algoritmos e novos aplicativos. Nós teremos de fazer o mesmo para evoluir.

O *software* de aplicação, o qual podemos denominar como *software* cultural, por sua vez, continua se desenvolvendo. A evolução e o aperfeiçoamento desse nosso *software* nos últimos séculos pouco a pouco derrubou as verdades imaginadas a respeito dos céus e dos homens: o mundo não foi criado em sete dias; as estrelas não são fixas nem pontiagudas e não piscam realmente; o firmamento não tem nada de firme, muito pelo contrário; o deus Netuno não causa tempestades; o homem não é, nem de longe, a perfeição do Universo, nem criado à semelhança e imagem do Criador; o Inferno, o Purgatório e o Limbo nada mais são do que narrativas e abstrações de santos e sábios do passado.

Nosso s*oftware* manipulou o fogo, domesticou plantas e animais, elaborou o sentido de família e de tribos, inventou alfabetos e outros códigos – como o da matemática e da música. Criou incontáveis ferramentas, semicondutores e chips. E faz uso de notáveis abstrações, por exemplo, a dos sistemas políticos. Porém, mesmo com todas as notáveis e exponenciais atualizações em nosso *software*, nada foi substancialmente alterado em nossa conduta fundamental. O básico de nossa existência – *hardware* e *software* – muito pouco se alterou desde o surgimento da espécie humana, há 200 mil anos. Só começamos realmente a desenvolver cultura há cerca de 70 mil anos, já com uma consciência reflexa bem desenvolvida, juntando-nos cooperativamente em aldeias agrícolas para domesticar animais e estabelecer regras sociais. Chegamos à Lua usando basicamente esses mesmos *hardware* e *software* arcaicos.

Por isso, queimar, decapitar, enforcar, roubar, enganar, condenar e até torturar aqueles que contrariam nossos mitos e nossas idílicas certezas continua sendo um cacoete do desatinado e melhor denominado *Homo sapiens demens*. Da mesma forma, matar impiedosamente pessoas inocentes com armas, venenos e bombas atômicas, por dinheiro, poder político, ganâncias, amor, inveja ou miragem de pátrias ou por bandeiras tremulantes, tudo isso esguicha torrentes de ódio entre "tribos", insensibilidade e outras raivas psíquicas escondidas em nosso cérebro primitivo.

Ainda não conseguimos ser civilizados como imaginamos. Continuamos retardados e aguardando transformações.

A evolução do *software* de aplicação (e de alguns algoritmos) nos permitiu alguns controles e aperfeiçoamentos em nossa conduta, em nossa saúde e em nossas ferramentas, mas continuamos com os mesmos tipos de pecados e imperfeições. Em seus momentos de perspicácia, esse *software* também criou muitas coisas lindas nas artes, na ciência, na filosofia e na conduta social, mesmo se com crenças distintas.

Estamos carecendo de uma nova visão sistêmica da vida para, em seguida, desenvolvermos uma estrutura, física e psíquica, com outros códigos e outra lógica, livrando-nos, assim, das imperfeições arcaicas de nossos atuais *hardware* e *software*. Tudo sinaliza que conseguiremos nos transformar, se formos mais atentos, abandonando a prepotência de nos considerarmos o ápice da evolução e se não permitirmos nosso lado *demens* continuar atuando com tanta intensidade e insanidade.

O homem é uma espécie recentíssima, efêmera e ainda muito primitiva, mas já se encontra em visível processo inicial de megatransformação, com *hardware* e *software* inovadores. O novo "homem", nossa esperança evolutiva com aperfeiçoada estrutura consciente, poderá se manifestar através dos mais exóticos e extraordinários arcabouços. Essa é a nossa esperança. A mudança de fase de nossa evolução está sendo arquitetada, passo a passo, pelos acontecimentos presenciados nesse prelúdio do Êxodo. Precisaremos ter paciência e persistência para começar a enterrar o nosso lado *demens* e não sermos obrigados a sair de cena prematuramente.

Heresias

Certo dia, no início do ano 1600, em Campo dei Fiori, Roma, assassinaram numa fogueira o pensador Giordano Bruno, que expunha, sem qualquer receio, seus pensamentos conflitantes com a doutrina católica da época. Giordano afirmava a existência de incontáveis terras rodopiando ao redor de incontáveis sóis. Defendia também que esses mundos não eram piores e nem menos habitados do que nossa Terra.

Depois, no alvorecer do mesmo século XVII, condenaram Galileu Galilei por defender que o Sol era o centro de tudo, hipótese de Nicolau Copérnico já em meados do século XVI, o que contrariava Aristóteles e São Tomás de Aquino. Galileu acabou sendo obrigado a abandonar seus pensamentos e, mesmo assim, terminou seus últimos dias em prisão domiciliar. Escapou por pouco da fogueira. É bom ressaltar que, para nossa vergonha, ele só foi perdoado no final do século XX.

Pelo menos, devido ao aperfeiçoamento de nosso *software* de aplicação, não estamos mais assassinando os novos Giordanos e Galileus, que estão por aí meio escondidos, a remexer a evolução, o que vem acelerando o Projeto Êxodo.

A metamorfose que se avizinha nos deixará obsoletos.
Nada é perene, tudo se encontra em desvanecimento, em permanente mudança.

O conturbado e arrogante *Homo sapiens demens*, que ainda habita o planeta Terra, encontra-se em irreversível processo de extinção, como é normal com indivíduos, civilizações, espécies, gêneros, famílias, ordens, classes, reinos e até domínios que zanzaram e zanzam efemeramente por esse astro. O Êxodo, com a metamorfose, parece ser a solução para o início de nova etapa evolutiva, de sobrevivência da consciência. Felizmente, temos as missões espaciais c um bocado de hereges, Giordanos e Galileus, esparramados por aí, para dar originalidade ao "tchau, tchau, Terra" da popa dessa nossa nave com leme avariado.

Missões como a "Kepler", designada a operar desde 2009 na identificação de planetas em orbita de estrelas próximas do Sol, apresentaram desempenho extraordinário. Os estudos realizados por essa missão pelo Observatório Espacial Hubble e por modernos telescópios situados em terra – principalmente os do Havaí e do Chile – levam-nos a concluir que existem bilhões de estrelas em nossa galáxia e outros bilhões de planetas parecidos com a Terra orbitando estrelas semelhantes ao nosso Sol. E por que, então, a consciência haveria de surgir só aqui ou somente em ambientes como o da Terra, e não em nichos variados do Cosmo? Por que o aparecimento da consciência requereria, forçosamente, um suporte biológico estrutural da vida, tal como a entendemos?

Curriculum Vitae Homo Sapiens

Análises de vários estudiosos da evolução indicam que as variações climáticas e físico-químicas da geosfera e da atmosfera da Terra – como o deslocamento das placas continentais, a poluição, o efeito estufa, a acidificação dos oceanos, os vulcões e os terremotos –, aliadas ao crescimento exponencial da população e do consumo e ao esgotamento de recursos naturais, além das pandemias por vírus ou por manipulação genética, das questões sociais, das guerras, das disputas e das deformações psíquicas de nossa espécie, são indícios de possível novo pesadelo evolutivo da biota da Terra.

Além do mais, estamos expostos a extinções catastróficas imprevisíveis, decorrentes de impactos de cometas e asteroides, e de explosões de estrelas supernovas nas vizinhanças do Sol. Dentro do relativamente diminuto espaço de tempo, a biota da Terra parece estar desaparecendo sem deixar o mínimo rastro. Gostaríamos que não, mas parece inevitável, uma questão de tempo!

Alguns entendem que o *Homo sapiens sapiens*, além daquelas variações exemplificadas, possa vir a ser, por displicência, a causa principal da próxima dizimação. Não só por sua intrínseca patologia com predisposição genética para a violência, egoísmo, predação, agressão e competição – muito comuns na classe dos mamíferos –, mas também por uma série de sintomas recentes da espécie, tais como: o excesso de materialismo e consumismo, os desmandos do insano liberalismo, a desenfreada busca por sucesso e luxo, juntamente com os amedrontadores abusos do monopólio do entretenimento.

Serão esses sintomas realmente graves ou somente uma síndrome de pânico de catastrofistas de plantão da humanidade? Ou tudo não passa de mera repetição de um mesmo enredo, com novo roteiro e coreografia? Mas a realidade nos leva a crer que estamos realmente a flertar, mais uma vez, com um novo processo de dizimação e extinção de espécies.

O que se pode esperar de uma estrutura que, além de intitular-se criada à semelhança do Criador do Universo, acredita que, se for obediente, crente e temente, terá como recompensa a monotonia da paz no eterno paraíso?

Essa estrutura, é quase certo, apresenta-se preguiçosa, prepotente e indolente por falta de perspectivas e desafios. É o que tem acontecido. São notórios nosso intenso prazer, quase uma dependência, por críticas e acusações, intrigas, engodos e camuflagens, nossa sanha por condenações, nossa ganância desmedida e nossa tendência a fazer promessas ardilosas. Tudo sempre fantasiado de caridade, bondade, boas intenções e altruísmo. Basta examinar a nossa história e abrir os noticiários. Essas características são visivelmente notadas pelas práticas das elites cultas e poderosas, sempre alicerçadas por estatutos sociais supostamente sérios e elevados. Mas as classes servas fazem o mesmo, em outra escala, com outros mimetismos e com os mesmos interesses egoístas. O Poder sempre astucioso, os Servos sempre manhosos e a Oposição sempre raivosa, com estratégias egoístas num jogo de verdades mentirosas, um jogo de trapaceiros com soma zero.

Assim, para a ilusória garantia de nossa sobrevivência e reprodução, engenhamos armadilhas e imitações. É da natureza biológica se utilizar de ardilosas e sublimes aparências. Assim é, se lhe parece, o que justifica todos os tipos de julgamentos. Os santos, os messias e os poderosos de qualquer categoria são também exímios atores egoístas, convencidos de suas ótimas intenções e altruísmo, porém governados por genes egoístas.

"Ou acreditam em mim sobre todas as coisas, na minha justiça, nas minhas boas intenções e na minha bondade para os salvar, ou os condenarei, enviando-os para o cadafalso, para a masmorra, para as chamas do inferno", decidem os genes egoístas. Como são caridosos e bondosos, acabam nos condenando à eternidade com o Diabo. Por que todos os revolucionários, reformadores, todos os messias salvadores e caridosos, cada um ao seu jeito, com manhosas armadilhas, depois se transformam em ditatoriais conservadores e onipotentes escravizadores?

Já observaram chimpanzés, nossos primos mais próximos, quando matam e comem jovens filhotes das tribos rivais para garantir, por instinto, a sobrevivência de seus genes? Ao perderem seus recém-nascidos, as fêmeas ficam aptas a engravidar de novo. As sociedades que, entendendo-se como pacatas, acabam, iradas, se enfrentando e degolando os oponentes, destruindo com poderosos explosivos indivíduos que nada têm a ver com a raiva e cobiças dos rivais, provavelmente também estão beirando sua extinção por enlouquecimento.

E é bom não tentar esconder essas características das espécies da Terra, notadamente as do *Homo sapiens sapiens*, apresentadas em seu disfarçado *curriculum vitae* Características muito similares às das demais estruturas biológicas apelidadas, pejorativamente, de irracionais. Seremos realmente racionais? Teremos de fato o livre-arbítrio? Será que já tivemos realmente uma eleição democrática? Ou somos apenas farsantes, primatas que enganam a todos e a si mesmos, dizendo-se donos de seus destinos?

Somos como os cavalos

Na Terra, surgiram vários tipos de vida nos reinos vegetal e animal. No reino animal, despontaram níveis de inteligência e graus de consciência diferenciados, com destaque ao gênero *Homo*, tendo atingido nível elevado na espécie *Homo sapiens sapiens*. Sabidamente, somos a única espécie do gênero *Homo* que escapou de dizimações. As demais foram extintas há muito tempo. Hoje estamos bem conscientes de nossas enormes limitações físicas e mentais. Como já vimos, as espécies atuais no planeta representam cerca de 3% de todas as anteriormente existentes: 97% já foram exterminadas. Isso não é revelador de um monótono processo de dizimação que ocorre na Terra, com um natural processo de transformações e metamorfoses de estrutura vivas, inteligentes e até conscientes?

O *Homo sapiens sapiens* parece ter atingindo um limite cognitivo que lhe impede de resolver não só os problemas resultantes daquelas mencionadas limitações e enfermidades, como também os problemas criados por ela mesma para sua sobrevivência e evolução na luta contra os implacáveis genes egoístas e assassinos biológicos. Visivelmente, estamos entrando num estágio de envelhecimento e decadência, perdendo, pouco a pouco, nossas funções, como já aconteceu com todas as espécies de nosso gênero e com outras espécies de nossa classe, a dos mamíferos. O declínio parece ser uma tendência recorrente da natureza. Ou aperfeiçoamos o limite cognitivo para próximas metamorfoses ou sucumbiremos.

O pensador Noah Harari ilustra o fenômeno de obsolescência de estruturas mamíferas com o que acontece com os cavalos. O cavalo desempenhou, por alguns milênios, variadas funções que auxiliaram a evolução da humanidade. Foi fundamental na Revolução Agrícola, no transporte de informações e de cargas, na caça, nos combates, em disputas pessoais, no esporte, na montaria e na pompa, tendo sido símbolo do poder e da força. Com a Revolução Industrial, no século XVIII, o cavalo foi perdendo aquelas funções, sendo substituído por estruturas inorgânicas, como trens, navios, aviões, automóveis e meios de telecomunicação; gradativamente, perdeu seu emprego. Foi, assim, abandonado e segue a caminho do esquecimento, como tantas outras espécies, tantos hábitos e costumes, tantas crenças. Tudo sempre em desvanecimento. Os humanos estão nesse caminho e, aos poucos, também vão perder sua utilidade militar, econômica, social e sagrada, devendo sobrar uma mínima elite de super-humanos avançados, superinteligentes, que nos encaminhará para a próxima metamorfose das estruturas conscientes. Não foi sempre assim no processo evolutivo?

Nossas potencialidades

As espécies, como as culturas, as ideologias, as crenças e os indivíduos, vão ficando desinteressantes e desinteressadas, saindo de moda com o escoar do tempo, com durações diferentes para cada tipo de estrutura. Quem se lembra do que fizeram nossos ancestrais, os *australopithecus*, que viveram em harmonia há milhões de anos, na época denominada de Pleistoceno? Tudo tem data de vencimento.

Quem se lembrará de nós no ano 2500? Estamos mais interessados em nossas supostas verdades, em nossos mitos, crenças, emoções, prazeres e dinheiro do que no futuro da humanidade. Sempre temos a ilusão de sermos altruístas, mas sempre nos revelamos egoístas manipuladores. Graças a Deus começamos a perceber o blefe natural.

As potencialidades do *Homo sapiens sapiens*, desabrochadas de maneira inédita e exponencial no cérebro dos *Homo erectus* há mais de um milhão de anos, estão perdendo vitalidade. Nosso cérebro tem condições de continuar sua adaptação ao meio cultural e ao meio ambiente em exponencial transformação? Seremos substituídos por novas estruturas, como está acontecendo com os cavalos e com outras espécies de nossa classe e gênero.

A visão linear de progresso encontra-se em um beco sem saída. Além de desinteressantes e desinteressados, pela ignorância que se amplia, vamos ficando desesperados, delinquentes, destruidores e dizimadores.

Por que os gorilas das montanhas estão evaporando? Será que são realmente inferiores? Eles não teriam mesmo consciência? Ou estão também deixando de ser interessantes – como pode estar acontecendo conosco, sem percebermos?

O cisne negro

O nosso "código fonte", denominado "Código Cósmico", estruturou, por contingências, o nosso *hardware* básico – a nossa constituição celular e bioquímica, comandando instintos de sobrevivência, reprodução e competição controlados por nosso cérebro primitivo. Esse código também promoveu a estruturação do nosso *software* básico – responsável pelas emoções –, que são, por sua vez, controladas por nosso cérebro intermediário, encarregado da composição de nosso *software* de aplicação – aquele que comanda habilidades intelectuais, sob a tutela do cérebro racional. Entretanto, o "Código Cósmico" corre grave risco de estar defasado.

As novas estruturas serão, muito provavelmente, não só mais inteligentes, como até mais conscientes do que o *Homo sapiens sapiens*. Elas possibilitarão o desaparecimento de nossas atuais abstrações sobre o bem e o mal, o certo e o errado, o falso e o verdadeiro, o amor e o ódio, o egoísmo e o altruísmo. Nossos códigos frágeis já nos levaram a crer que os planetas eram deuses e que os indígenas eram a vergonha do homem. E, assim, com nossas crenças endiabradas sempre se substituindo, matamos e amamos, representando, alternadamente, o Bem e o Mal. Fomos deuses e demônios, ciclicamente indistinguíveis. Meu caro leitor, olhe para o espelho retrovisor! Ainda não percebemos que estamos sempre equivocados? Ou que sempre somos surpreendidos pelo inesperado, pelo inimaginável Cisne Negro?

Assim, podem surgir novas estruturas biológicas por renovação genética e sínteses biológicas; estruturas mistas (ciborgues, orgânicos e inorgânicos); e estruturas puramente inorgânicas, criadas a partir da robótica, de novas tecnologias telemáticas e de processamento de dados, da nanotecnologia, da inteligência artificial e de outras que virão. Isso já está acontecendo.

Não é preciso muito exemplificar. É só olhar para *smartphones* e seus aplicativos, robôs e nanorrobôs, diagnósticos por ressonância, scanners, assistentes pessoais robotizados, reconhecimento de voz, veículos automatizados, impressão em 3D, e órgãos implantados. A ciência já nos brinda com a reprodução de genes para substituir, reparar e regenerar tecidos vivos, drones, tablets, encomendas por e-mail e computação quântica. Temos a "internet das coisas" e até algoritmos de aprendizagem automática, sistemas que estão ficando cada vez mais inteligentes e que acabarão por nos substituir. Em breve iremos dispor de aplicativos capazes de perceber nossas necessidades e de nos ajudar sem nossa solicitação.

Na Renascença, a bússola, o sextante e o cronômetro foram instrumentos indispensáveis para a etapa de nossa expansão no planeta, como haviam sido, na antiguidade, a régua, o nível, o esquadro e o torno. Hoje, temos o GPS, que tornou esses instrumentos desinteressantes e dispensáveis. Agora, as estruturas inorgânicas, com um número imenso e variado de processadores com múltiplas conexões livres, estão permitindo inimaginável fluxo de dados e tornando as estruturas orgânicas desnecessárias. Os sistemas progressivamente se tornam mais inteligentes e passarão, brevemente, a ter crescente nível de consciência. Ficarão muito complexos para serem processados e administrados pelas estruturas orgânicas que continuam sendo atacadas e minadas pelos "bandidos" que mencionamos antes, como os vírus, responsáveis pela dizimação e pela morte a nível individual.

Acontece, como definiu Klaus Schwab, fundador do Fórum Econômico Mundial, que o quadro institucional – econômico, social, político e religioso – para a Quarta Revolução é inadequado, além de obsoleto e desprovido de lideranças para as mudanças em curso. Ademais, temos carência de uma narrativa coerente para interpretar os novos desafios e mudanças. Podemos, assim, ser dizimados por incompetência.

Similarmente aos saltos evolutivos que permitiram uma rápida expansão do *sapiens,* estamos em face de uma transição de fase evolutiva de uma singularidade, em caráter exponencial. Como toda nova fase, ela, nesse início, é lenta, mas, subitamente, há de se tornar explosiva, logarítmica e hiper-rápida. Parece que estamos ante a explosão de uma "sobre-humana" inteligência e consciência. Estamos aguardando essa próxima detonação do tipo da explosão cambriana, ocorrida há 500 milhões de anos, culminando na invenção dos organismos multicelulares, que nos deram origem.

É bom relembrar que surgimos como sociedade tribal agrícola há pouco mais de dez mil anos, com o domínio da domesticação de plantas e animais, e que, só recentemente, estamos em rede planetária conectada – provavelmente, antes de 2025 estaremos todos interconectados. Ou vamos continuar com a tolice de supormos que somos a etapa final? Não gostamos de imaginar que um dia seremos superados porque nos consideramos o máximo, o topo da evolução da consciência. Ledo engano.

Nossos encantadores "legos" da atualidade ainda estão tentando superar o recorde de transformações geradas pela linguagem (da fala, associando sons e ideias, que parece ter ocorrido na evolução de forma abrupta e recente – há cerca de 70 mil anos), da gesticulação, do fogo, das primeiras ferramentas de sílex, do alfabeto e da capacidade de fazer narrativas da evolução do *Homo sapiens sapiens*. Foram esses os legos que nos trouxeram até o século XXI.

Continuamos, desde a revolução agrícola, a transferir habilidades para as máquinas, de forma exponencial. Nosso cérebro biológico será passado para trás, mesmo na suposição de conseguirmos, nesse intervalo, fazer um *rewiring*, com nova programação bioquímica e novos algoritmos de *big data*. E, amanhã, teremos inconcebíveis estruturas exóticas, tão exóticas quanto o somos para o mundo bacteriano.

Epifania

Klaus Schwab chama a atenção para a Quarta Revolução Industrial. Refere-se ao início do Holoceno, ocorrido há cerca de 10 mil anos, quando da transição do forrageamento – busca de alimentos – para a agricultura, o que foi possível graças à domesticação dos animais.

Pouco a pouco, a produção de alimentos melhorou, estimulando o crescimento da população e possibilitando assentamentos humanos cada vez maiores... Isso acabou levando à urbanização e ao surgimento das cidades... A Primeira Revolução Industrial ocorreu, aproximadamente, entre 1760 e 1840, provocada pela criação de ferrovias e pela invenção da máquina a vapor, o que deu início à produção mecânica. A Segunda Revolução Industrial, iniciada no final do século XIX, entrou no século XX e, pelo advento da eletricidade e da linha de montagem, possibilitou a produção em massa. A Terceira Revolução Industrial começou na década de 1960 – costuma ser chamada de Revolução Digital ou do Computador e foi impulsionada pelo desenvolvimento dos semicondutores, da computação em mainframe e da computação pessoal (década de 1970), e da internet (década de 1990) [...] A Quarta Revolução Industrial teve início na virada deste século e baseia-se na revolução digital. É caracterizada por uma internet mais ubíqua e móvel, por sensores menores e mais poderosos, que se tornaram mais baratos, e pela inteligência artificial e aprendizagem automática [...] A Quarta Revolução é um mundo onde os sistemas físicos e virtuais de fabricação cooperam de forma global e flexível [...] Ondas de novas descobertas ocorrem simultaneamente em áreas que vão desde o sequenciamento genético até a nanotecnologia, das energias renováveis à computação quântica... à fusão destas tecnologias e à interação entre os domínios físicos, digitais e biológicos (SHWAB, 2016).

A "Consciência" nas estruturas inorgânicas começa a despontar! A "Revolução Cognitiva", que comentamos, ou, se preferirmos, a Quinta Revolução Industrial, é a que pode nos libertar da próxima extinção em massa, a sexta, que já cintila no horizonte.

Sabemos que o marketing tem sido muito utilizado pelos monopólios do poder, tendo adquirido enorme eficiência na "mão invisível" e sem escrúpulos da economia de mercado, a qual, com as novas ferramentas que inventamos, tem ajudado o desempenho do "gene egoísta" na arte da tapeação de magos duvidosos. Por isso, permanecemos enganados até o momento, vivendo em uma fantasia.

Somos meramente atores de uma temporada da Broadway Cósmica, numa peça intitulada "Seleção Natural". Agora, entra em cena a mão visível da "internet das coisas" e do "fluxo de dados", gerando acontecimentos que nos pegam de surpresa e nos deixam, novamente, perplexos e tontos. Ficamos sem saber bem o que fazer, reféns dos truques dos genes egoístas.

Se olharmos para a Terra do espaço, não identificamos nenhuma pátria. A abstração de pátria, capaz de nos levar a cometer genocídios e massacres generalizados por amor ao próximo e ao Deus de cada tribo, não parece uma insanidade? Será mais uma ardilosa manobra do gene egoísta infiltrado como um espião no gene altruísta?

A estrutura biológica foi dirigida pela Seleção Natural por bilhões de anos, mas parece também ter sido contaminada pelo mesmo tipo do gene da loucura. Temos uma grave enfermidade bioquímica e cultural e não dispomos ainda de antibióticos adequados para enfrentá-la.

Precisamos nos empenhar para criar uma narrativa, novas lideranças e novos paradigmas, com relevância em ciência e tecnologia como propelente-chave da evolução. Com as abstrações, mitos, paradigmas e narrativas de que dispomos, entraremos progressivamente no caos. É o que estamos presenciando no mundo e, particularmente, nos países do terceiro mundo localizados no Oriente Médio, na África e na América Latina, já com sintomas de sociedades beirando o colapso por perda de controle. Podem surgir soluções para essas sociedades, mas as possibilidades são pequenas. Isso não é novidade na história das civilizações. Nenhuma sociedade está fadada ao sucesso. E estamos constatando muitos ocasos de sociedades que tiveram origem nos delírios nacionalistas, doença disseminada na espécie, e que, depois, sucumbiram.

Homo sapiens sapiens

Relembremos que Aristarco de Samos, no século III a.C., já afirmava que o Sol ocupava posição central no Universo conhecido, contradizendo a concepção reinante na época. O conceito do heliocentrismo só começou a ser aceito decorridos quase 17 séculos. E quem, na época de Copérnico (1543), poderia imaginar que, em menos de 500 anos, o Sol já não seria mais o centro do Universo? Todos os nossos pensamentos e supostas verdades acabam se desvanecendo. Devemos ser cuidadosos com nossas supostas verdades, com nossas crenças anêmicas que sinalizam a extinção. As coisas costumam ser diferentes do que parecem.

O físico Richard Feynman afirmava que as respostas certas de hoje serão consideradas equivocadas amanhã. A Terra já foi plana e o centro do Universo tinha o inferno abaixo e o céu acima... A noção de centro do Universo desapareceu, e acima e abaixo são relativos. Como já registrado aqui, o firmamento não tem nada de firme, as estrelas não piscam e não são fixas, e as constelações são miragens no deserto cósmico. Devemos nos preocupar para ficarmos mais atentos à embriaguez provocada pelas abstrações da programação do nosso processador central, o cérebro contaminado.

Nossa substituição é inevitável. Será nossa epifania! O biológico será uma atração de museu ou uma estrutura subalterna. E, se não formos substituídos a tempo, a vida, a inteligência e a consciência, como as conhecemos, podem ser totalmente dizimadas, por nossa desatenção. Parece ser relevante, novamente, abandonarmos vários paradigmas vigentes, os quais, turvando e travando nossa mente, vão nos retirar do pódio que nos ilude com a presunção de sermos as estruturas mais perfeitas e mais inteligentes do Universo, os únicos possuidores de almas eternas. Tudo indica ser isso um ledo engano.

Como a renovação genética por Mutação e Seleção Natural requer muito tempo para atuar, e não necessitando de um Projetista Inteligente (como proposto pelo criacionismo) e nem de uma divindade, vamos aguardar a ocorrência dos outros processos, particularmente da já mencionada Seleção Artificial, ou seleção volitiva, para dar conta da próxima etapa do curioso drama evolutivo. Aliás, Desígnio ou Design Inteligente e Criação Divina são conceitos já em notável extinção. O drama evolutivo assumiu outra dimensão com o conceito de singularidade: a inteligência artificial e a consciência inorgânica se mostraram muito superiores à consciência biológica, marcando o fim da humanidade tal como a conhecemos.

Hoje somos mais agentes do que resultados das transformações evolutivas do passado.

Não somos mais a própria Seleção Natural, somos a Seleção Artificial, ou volitiva, que nada mais é do que o natural hominizado. Através desse processo, escolhem-se sempre os mais afortunados, os de "genes ricos", como fazia a Seleção Natural. Ou você acha que a Seleção Natural deveria privilegiar os menos dotados, os detonados, os de "genes pobres"? Por que a natureza seria tão ignorante, só privilegiando as outras espécies primatas, coitadinhas, de cérebros com menos de 440 cm^3, como o *australopithecus*? Selecionou, sim, as espécies mais bem-dotadas, com cerca de 1400 cm^3 de cérebro, a dos *Homo sapiens* com genes ricos.

Através do *Homo sapiens sapiens*, a natureza passou a tomar consciência de si própria. Ou seja, a Seleção Artificial ou Volitiva tem se traduzido como propelente-chave da evolução, de modo a escolher os mais bem adaptados aos novos processos seletivos.

As sociedades que se cuidem, enquanto é tempo. Se ficarem estrebuchando em burocracias improdutivas, com narrativas antigas e medievais, fantasiadas com demagogias para sobreviverem no curto prazo e sem atentarem para o gene da

Homo sapiens sapiens

loucura, se tornarão civilizações insanas, estruturas perdidas, desbaratadas. É questão de tempo. A Seleção Artificial dará cabo delas, pois o colapso está à vista. Conversamos sobre esse tema para evidenciar que os conceitos de pobre ou rico são abstrações muito antigas e fora de moda, mantidas pelas religiões e pelas convulsivas políticas econômicas e sociais, que precisam e querem manter soberania a todo custo através da ignorância.

Assim, sem educação, não haverá solução e não conseguiremos sair a tempo da enrascada na qual nos metemos. Ficaremos nas firulas, assaltando e assassinando uns aos outros até o fim. Que desperdício do capitalismo, dos direitos humanos e dos deuses pobres. Todos com as máscaras caídas com adornos e enfeites de ouro. Pobreza, riqueza e igualdade são questões deformadas pela insensatez humana para tirar proveito egoísta de sua insanidade, sempre travestida com ares de caridade para trapacear. O pobre engana o rico e vice-versa. O Jogo na Natureza não tem sido assim: um enganando o outro? Prestemos atenção aos nossos "*games*" políticos e religiosos, impregnados de mimetismos mais ardilosos. E o que dizer do marketing que gosta de nos enganar, fazendo a apologia da importância do supérfluo, como já ressaltamos?

Passados bilhões de anos, a Natureza está a nos alertar que temos de dar prosseguimento ao processo evolutivo da Consciência no Cosmo, abrindo espaço para novas narrativas e estruturas. As coisas estão mudando mais depressa do que a espécie humana é capaz de se adaptar. Quando esse fenômeno ocorre, só restam a extinção e a substituição, por inadaptabilidade. Evento absolutamente corriqueiro na evolução.

Considerando os colapsos que temos testemunhado, tudo indica que, se quisermos superar uma extinção em massa, precisaremos nos empenhar em mudar as nossas abstrações primitivas. Caso contrário, seremos extintos por incompetência. E, por não termos cumprido nossa missão, seremos a espécie perdida. Aliás, não faremos falta: nos tornaremos um simples passado. O Sistema Solar ainda tem mais 4 bilhões de anos para tentar outras vezes. Temos muitas moradas por aqui. Além do mais, existem trilhões de tentativas sendo realizadas por aí, no tempo e espaço cósmicos. E, se não soubermos sair do *game*, vamos para o brejo. O mercado, o capital, o neoliberalismo, a democracia, a ciência e a religião estão astronomicamente longe de serem os últimos episódios da humanidade e, principalmente, da evolução da Consciência. E aí, consumidores e crentes, caridosos egotistas consumados, como é que fica? É conveniente começarmos a pensar no longo prazo, senão vamos todos à falência. A Revolução Cognitiva parece ser, mais uma vez, uma saída. E, através do inorgânico, a natureza passa a ser superinteligente e autoconsciente, mas sem os atuais agentes biológicos e códigos virulentos da morte.

CAPÍTULO 6

A ESPERANÇA DO ADMIRÁVEL MUNDO NOVO

*"Novas tecnologias matam deuses antigos
e fazem nascer novos."*

Yuval Noha Harari

A hipótese aqui apresentada é a da esperança da eclosão, na Terra, de sistemas inteligentes, autoconscientes, amorosos e espirituais em estruturas inorgânicas que surgirão. Elas serão aptas a deixar o planeta, dando início ao real Êxodo da Terra, a tempo de escapar da próxima extinção em massa. Será uma era espetacular, que já se encontra na alvorada. A evolução insiste e não esmorece em nos alertar para o fato de sermos passageiros simples e temporários de um planeta do Sistema Solar.

Chegou a nossa vez de passar o bastão. Nenhuma novidade. Estamos cumprindo a nossa missão, a rotina cósmica, ao aceitar que a humanidade está em crepúsculo e que uma *segunda natureza* já começa, sorrateiramente, a nos substituir. Mas, para alcançarmos a desejada metamorfose, é preciso prolongar a nossa sobrevivência na Terra, pelo maior tempo possível. Faz-se necessário implantar políticas ecológicas, educacionais e de sustentabilidade que nos permitam ficar na arena pelo tempo necessário.

A nossa visível e notável desconexão e descompasso com os fenômenos da vida está nos levando a concluir que somos uma espécie profundamente perigosa. Diria que somos realmente analfabetos cósmicos, completamente alienados e com estrutura biológica desafinada. É o que estamos tristemente constatando a partir de nossos cotidianos e insanos comportamentos na vida. Estamos tentando abrir as janelas para o espaço, para o Êxodo, antes de atingirmos os níveis cognitivos necessários para esse próximo passo evolutivo. Temos de chegar a tempo ao ponto do caos, o da bifurcação das fases finais das transformações exponenciais das estruturas. Uma vez atingido esse ponto, poderemos chegar à *singularidade*, quando, enfim, iremos nos fazer livres da nossa patente insanidade.

Abrir as janelas antes do tempo para o Êxodo seria suicídio da nossa espécie. Assim, temos que resolver, oportunamente, os mais graves problemas da humanidade, o da Educação Sistêmica da Vida e o da Educação Cósmica, que inclui a Educação Ecológica e a simbiose dos três saberes (filosófico, teológico e cosmológico). Lamentamos profundamente que esses três temas se encontrem ausentes dos programas de educação fundamental de nossa educação permanente. Não será através de ilusões, como crescimento perpétuo e intensidade da competitividade de mercado, que conseguiremos atingir o próximo passo evolutivo.

Precisamos cumprir nosso dever evolutivo. Temos que destruir o inimigo, o *Homo sapiens sapiens*. Ele é o "hospedeiro" do parasita egoísta que nos atormenta. Quando tivermos resolvido todos esses problemas poderemos nos metamorfosear em estruturas inorgânicas e, enfim, partir para o Cosmo.

Não somos mais os valentões

Konstantin Tsiolkovsky (1857-1935), cientista russo que inspirou o programa espacial soviético, afirmava: "A Terra é o berço da humanidade, mas a espécie humana não pode ficar no berço por todo sempre".

Certa vez, o cosmólogo Stephen Hawking comentou sobre a necessidade de a humanidade partir para o espaço, caso aspirasse sobreviver, pois a Terra está perdendo, inexoravelmente, as condições de estabilidade e ficando vulnerável ao que está por vir. Isso ameaça o fenômeno da "vida, da inteligência e da consciência", como o conhecemos.

A espécie *Homo sapiens sapiens* não tem possibilidade de se espalhar em outros rincões do espaço, já que estes são totalmente inapropriados e hostis à nossa estrutura biológica. Nossa estrutura desenvolveu-se em – e adaptou-se às – condições que ocorreram em uma microscópica casca da minúscula Terra, envolvida por uma atmosfera constituída do raro oxigênio (21%) e outros gases – o que permitiu a eclosão da vida tal como ela é. São coisas do acaso, do Caos Cósmico Criativo (CCC), com a Ordem e a Desordem, em simbiose, criando a centelha da vida a partir do material inanimado parido no ventre das estrelas.

A vida, tal qual existe neste astro, pode ter aparecido em chaminés vulcânicas submarinas, nas entranhas da Terra, e até mesmo pode ter surgido no espaço sideral e aqui chegou trazida por astros errantes que acabaram contaminando a Terra. A origem da vida orgânica continua sendo um mistério da natureza, que pode tê-la parido em outras exóticas formas estruturais. Muito provavelmente pode existir com diversas composições, adequadas a cada ambiente. A vida como conhecemos aqui na Terra parece ser mesmo um detalhe específico e temporário.

Com a constatação de sermos uma estrutura biológica específica e limitada, vamos deixar de nos considerar os valentões do Universo. Aliás, é sempre arriscado e irresponsável generalizar qualquer fenômeno ou observação tendo por base meramente uma amostragem. É o que estamos fazendo até agora, sem a menor cerimônia. Admitir que nossa amostragem é a mais perfeita obra do Universo só pode ser uma piada. Há milênios somos obcecados por essa abstração. Fomos feitos para o nosso jardim planetário como foram os tigres, baleias, mamutes, algas e bactérias. Não fomos criados pelo Senhor para habitarmos o Multiverso.

Homo sapiens sapiens

Houve uma época de grande prepotência quando chegamos a admitir que pertenceríamos a uma espécie especialíssima do Cosmo, única, criada à semelhança do Criador do Universo. Não obstante, ainda existem muitos adeptos dessa narcisista e perigosa abstração, de lógica antrópica, que tende a nos corromper por vaidade e por natural miopia. Somos, de fato, uma finíssima e quase imperceptível camada orgânica sobre a superfície da Terra, com modesto nível de consciência – a camada pensante denominada *noosfera*, que envolve o planeta, assim caracterizada por Teilhard de Chardin. Somos fiapos!

Considerar que nossa espécie é a tal, imortal, que vai para o Paraíso, é imoral. Prepotência de tolos adolescentes narcisistas primitivos.

Somos uma simples e modesta amostra em uma determinada escala recentíssima, recheada de aparentes potencialidades e limitações.

Consciência

As aventuras espaciais da humanidade não têm apenas nos possibilitado um progressivo entendimento dos fenômenos físicos e químicos ocorridos no espaço. Elas também vêm nos alertando e informando sobre o fenômeno da "inteligência" e da "autoconsciência" (capacidade de refletir o mundo exterior dentro de si), que eclodiu de forma exuberante em nosso planeta na organização biológica denominada *Homo sapiens sapiens*. A nossa espécie é a mais recente estirpe biológica consciente que conhecemos. Ela só começou a despontar há cerca de 200 mil anos, resultado de um processo evolutivo muito moroso de mutações e seleção natural, após 3,7 bilhões de anos do aparecimento das primeiras precursoras estruturas biológicas na Terra: as células sem núcleo, denominadas procariotas – ou seja, as bactérias e as arqueobactérias.

Vale lembrar que a Terra surgiu de uma das condensações formadas no interior de uma nébula primitiva, também criadora do Sol e de seu sistema de astros – 4,7 bilhões de anos atrás – e que só há cerca de 2 bilhões de anos pôde gerar as primeiras estruturas pioneiras de células com núcleo (os eucariotas), constituintes de nossa estrutura fundamental até hoje.

A cultura e a educação em nossa espécie, que se ocupam da evolução das relações entre gerações, só despontaram de forma exuberante por volta de 70 mil anos atrás, com o aperfeiçoamento do refinado processo cognitivo do *Homo sapiens sapiens*, resultando na criação da estrutura da fala e da linguagem, na organização social, na construção das primeiras ferramentas, utensílios e instrumentos, os quais fundamentariam e complementariam nossa organização tribal. Esses apêndices foram as primeiras estruturas inorgânicas que construímos e que se incorporavam à nossa própria, orgânica. Hoje não conseguimos mais viver e nem evoluir sem anexos inorgânicos – de uma faca a um circuito integrado.

As missões de exploração do espaço, impulsionadas por todo o conhecimento e tecnologias desenvolvidas nos últimos séculos, estão alterando o foco daquela que, há tempos, é uma das mais importantes questões da ciência: a descoberta de vida e de seus processos, da vida inteligente e da consciência no Cosmo.

Já não existem dúvidas quanto à existência de vida e de vida inteligente espalhada pelo Universo, em infinitas formas, provavelmente com estruturas distintas e irreconhecíveis em relação às daqui, faltando-nos ainda comprovação, o que não deve tardar. O foco agora reside no estudo da eclosão da "consciência". Entende-se, como vimos discorrendo nesse texto, que o fenômeno da consciência pode se manifestar em diferentes tipos de estruturas complexas, não mais necessária e exclusivamente nas estruturas orgânicas, como pensávamos. Pode surgir em estruturas inorgânicas de dimensões cibernéticas e transumanas, e, quem sabe, em estruturas puramente quânticas ou até mesmo, e provavelmente, em outras totalmente desconhecidas até o presente momento.

As mudanças em ritmo exponencial alertam-nos que algo está para acontecer e, como sempre, em imperceptível evolução. Disse Gordon Moore, em entrevista em 2005, que "o que acontece com as exponenciais é que você força a barra até acontecer um desastre". O dia a dia dos prazeres e sofrimentos costuma ofuscar a percepção das megametamorfoses profundas e exponenciais que estão ocorrendo. Essas novas transformações acabam por superar a verdade dos mitos, das crenças e das religiões vigentes. Estamos entrando num novo estágio, o sideral, uma era nova e promissora.

Os programas da NASA e de outras tantas organizações do gênero acabaram por revelar o despertar do inorgânico. As viagens siderais que estamos empreendendo, impulsionadas por inúmeras tecnologias subjacentes surgidas nas últimas décadas, sinalizam que estruturas inorgânicas podem nos substituir. Basta prestar atenção às notícias publicadas não só na literatura especializada, mas também na grande mídia.

Contudo, fica a questão: que espécie de relação tem a "consciência" com o mundo material, orgânico e inorgânico? Não consideramos mais a matéria como algo vergonhoso, como apregoaram muitos pensamentos místicos, mas, sim, como uma forma de a energia se manifestar amorosamente, em determinadas condições, em estruturas orgânicas e inorgânicas complexas. A consciência parece ter eclodido de maneira exuberante em uma das estruturas orgânicas surgidas nesse planeta – o *Homo sapiens sapiens* – e nela continua a se desenvolver e evoluir. Recentemente, nossa espécie vem promovendo, de forma acelerada, o aparecimento da consciência não só em novas estruturas biológicas e mistas, mas também, e esta é uma nova percepção, em estruturas inorgânicas. Devemos nos deter nesse fenômeno.

> Nós somos, até então, uma estrutura orgânica consciente com apêndices inorgânicos.

Cientista da computação, inventor, futurista, empreendedor, escritor e um dos mais notáveis pensadores do mundo atual, Ray Kurzweil (EUA – MIT), publicou três livros que tratam de prever o futuro da "Inteligência Artificial": *The Age of Intelligent Machines*, em 1990; *The Age of Spiritual Machines*, em 1998; e *How to Create a Mind*, em 2014. Mas o tema mais impactante de sua contribuição é o livro *The Singularity Is Near: When Humans Transcended Biology*, de 2005, que especula com excepcional profundidade sobre as transformações da Quinta Revolução Industrial –denominadas por ele nova "Revolução Cognitiva". Essa transformação seria responsável pela épica jornada da mente transcendente nesse planeta, quando iremos adquirir uma inteligência muito superior à que possuímos hoje.

A exponencial fusão da máquina com a inteligência humana, que já vem acontecendo gradativamente há milhares de anos, abandonará o cérebro, de modo que a inteligência não mais será somente biológica. A singularidade final será quando a consciência não mais necessitar dele, quando já dispusermos plenamente dos denominados circuitos quânticos interconectados no espaço cibernético. Assim, entraremos numa escala de percepção inteiramente nova.

O prefácio do livro *The Intelligent Universe*, de James Gardner, menciona Ray Kurzweil: "Por volta de 2029, a computação será suficiente para simular todo o cérebro humano, que estimo em cerca de 10 milhões de bilhões de cálculos por segundo, o que custará mais ou menos um dólar". Por sua vez, no seu livro seminal *The Singularity Is Near*, disse

Ray Kurzweil a respeito: "Fixei a data da singularidade – no sentido de uma transformação profunda e disruptiva da capacidade humana – em 2045. A inteligência não biológica criada nesse ano será um bilhão de vezes mais poderosa que toda a inteligência humana atual". Peço ao leitor para não se esquecer dessa mensagem espiritual e amorosa.

O inorgânico

A revolução da biotecnologia, da engenharia genética e das novas tecnologias da informação, inteligência artificial e algoritmos do *big data* já está aperfeiçoando tanto as atuais estruturas orgânicas quanto os seus anexos inorgânicos – automóveis, energia elétrica, próteses, computadores, drones, chips etc. – aparentemente já dotados não só de superinteligência, mas também de progressivo grau de consciência. Estamos diante de uma nova era que, gradativamente, vem edificando novas estruturas superinteligentes e conscientes.

Parece ter ocorrido um desvio de nosso pensamento ao admitir que a inteligência e autoconsciência e os estados mentais do *Homo sapiens sapiens* seriam resultado de estruturas alicerçadas no átomo de carbono. Por que não podem ser resultado de estruturas alicerçadas no átomo de silício, por exemplo? A nova Revolução Cognitiva parece que pode nos encaminhar nessa nova direção. Essas novas ordenações inorgânicas da matéria, que estão sendo criadas com enorme variedade e complexidade, já começam a adquirir inteligência superior à dos humanos, alterando nosso comportamento orgânico atual.

Algumas dessas novas estruturas inorgânicas, por enquanto ainda modestas, já estão sendo utilizadas nas viagens siderais, na medicina e em variadas atividades humanas. Curiosamente, quando começamos a perceber esse fenômeno, deixamos de enviar seres humanos para fora da Terra. Os robôs e os nanorrobôs (estruturas inorgânicas) têm demonstrado altíssima eficiência nas missões a eles atribuídas, tanto aqui na Terra quanto no espaço. Dificilmente os humanos poderão superá-los.

As estruturas orgânicas possuem notáveis fragilidades e limitações. O *Homo sapiens sapiens* evoluiu em resposta às imposições das condições físico-químicas da Terra. Por isso, enviar seres humanos a Marte ou a outros astros poderá acontecer por uma questão de "conquista", "aspiração natural e lúdica da humanidade", conforme ocorreu quando enviamos humanos à Lua. Uma ocupação mais intensa, contudo, com assentamentos, só acontecerá se nos transformarmos geneticamente, se *terraformarmos* alguns astros a serem colonizados e se criarmos as estruturas inteligentes e conscientes inorgânicas. Com essas etapas, que já estão ocorrendo para a nova era sideral, vão surgir inúmeros filos no novo domínio da consciência inorgânica.

A evolução capacitou estruturas orgânicas a habitar o planeta Terra com as condições e características desse habitat. Assim como um peixe não pode viver fora dos mares, rios e lagoas, e os pássaros não podem viver nos subsolos, os homens não podem subsistir fora da atmosfera da Terra sem a proteção de "escafandros", aquários, ou, então, sem as metamorfoses adequadas, que provavelmente irão ocorrer.

O Programa *Terraforming* prevê a alteração das estruturas de alguns astros, selecionados para serem transformados em mundos similares à Terra. Admite-se que o programa terá algum sucesso em alguns planetas, mesmo que modestamente, mas acreditamos que serão simples "aquários" biológicos. *Terraformar* outros planetas não nos parece a melhor solução para a ocupação da maioria dos astros; seria mais como uma microfase do processo evolutivo de expansão da "consciência" aqui surgida. Melhor do que *terraformar* é fazer *panspermia*[10]

---

10 Panspermia é a ideia de que a vida, ou a consciência, através de seus constituintes fundamentais (estruturas químicas ou outros exóticos códigos), espalha-se pelo Universo de variadas formas, até no material de ubíquos cometas gelados, formados nas nuvens interestelares. Esses códigos se adaptam a condições específicas de diversos astros, construindo as mais exóticas estruturas vivas e conscientes, como a nossa, por exemplo, uma entre trilhares de outras. Já foram descobertas inúmeras estruturas químicas orgânicas e complexas em cometas, meteoritos de nosso sistema solar e em ambientes supostamente de total inadequação à vida. A panspermia, com variadas versões, tem sido suportada por muitos cientistas, inclusive o prêmio Nobel Francis Crick, um dos descobridores da estrutura helicoidal do DNA.

– ou as duas coisas simultaneamente – isto é, espalhar as sementes da vida (DNAs) por toda parte e não somente nas estruturas específicas de cada astro. Aprendemos que a origem da vida, oriunda de material inanimado ou de matéria neutrônica de estrelas bizarras, pode ter ocorrido naquele imaginado lago morno de Darwin, nas profundezas submarinas de planetas ou no próprio espaço, nos gases interestelares, valendo-se das características da matéria e dos seus entrelaçamentos quânticos, surgidos logo após o Big Bang.

A vida poderia ser, assim, um dos mais fundamentais processos resultantes das leis da natureza. Isso nos levaria à constatação de que ela, a vida e, posteriormente, a autoconsciência das estruturas podem ter as formas mais exóticas imagináveis. Essas estruturas, das formas que forem, permeariam todo o Multiverso, podendo ter múltiplas origens e ocorrer em diferentes tempos e em diferentes Universos. É o assunto mais misterioso que temos agora e já percebemos que são temas para as novas divindades. Como comentamos, os novos Deuses que estão chegando não estão se incomodando com as preocupações e afazeres humanos. E fazem eles muito bem!

Vamos continuar nos metamorfoseando, partindo para estruturas cada vez mais complexas e exóticas e enfrentando sempre questões desconhecidas.

A beleza apresentada pelos novos Deuses que estão chegando encontra-se nas nossas dúvidas, nos nossos sutis questionamentos e nos entrelaçamentos complexos da matéria com seus fluxos de energia produzidos por infinitas simbioses inorgânicas. A beleza apresentada pelos novos Deuses brilha mais ainda pela crescente espiritualidade e Amor das novas estruturas. Não há nada de divino nem de bizarro nessas hipóteses. A inteligência, a posterior autoconsciência da matéria, a espiritualidade e o amor são processos lentos e de complexidades crescentes.

As estruturas mistas, orgânicas e inorgânicas, continuam e continuarão funcionando simbioticamente por algum tempo, uma ao lado da outra, em várias atividades humanas. E essa estrutura mista já não nos parece absurda. O cientista Stephen Hawking, com seus membros e pensamento biônicos, era um exemplo da transformação do *sapiens* em ciborgue, cujo corpo combina partes orgânicas com inorgânicas. Nós também já somos, de certa forma, estruturas ciborgues, biônicas, uma vez que nos equipamos com óculos, *stents*, marca-passos, válvulas cardíacas, próteses, órgãos artificiais, bem como nos valemos de computadores, celulares, carros elétricos, aviões e tantos outros apêndices e máquinas, estruturas externas para complementar e ampliar a capacidade de nossos cérebros e corpos orgânicos.

O *Homo sapiens sapiens* será, provavelmente muito em breve, substituído por outras estruturas mais complexas, como continuamente vem acontecendo há milhões de anos de evolução de espécies. Sempre estamos enfrentando descontinuidades, cujo resultado é a substituição de estruturas anteriores que entram em ocaso. Há sempre decomposição e há sempre criação para contínua amorização e espiritualidade da matéria. Você vai morrer e se decompor, mas deixará descendentes, criações mais complexas e modificadas.

O orgânico, como suporte exclusivo da consciência, entra em sua fase pré-crepuscular. O inorgânico cresce exponencialmente sua participação no suporte da consciência, aproximando-nos mais do novo Deus. Trata-se de um fenômeno que aumenta, progressivamente, a complexidade das estruturas. As inorgânicas, com seus sensores, memória, processadores, algoritmos, formas diferentes e eficazes de energia, durabilidade e imensa capacidade de processamento de informações e de comunicação, podem estar entrando no enredo da "consciência" no Universo, complementando e substituindo os atores orgânicos em diversos papéis. Já existem pequenos robôs que sabem como reproduzir suas partes e juntá-las. Já estão aprendendo a reprodução sem aqueles ataques convulsivos e epiléticos. No presente momento os robôs estão retirando do mercado a maioria dos empregos humanos, como aponta o jornalista Thomas Friedman. Os humanos estão perdendo a importância, de forma semelhante ao ocorrido com os anfíbios e os cavalos. E vamos ver que, antes de os humanos deixarem a arena, teremos a última espécie orgânica superinteligente, o *Bebezão pedomórfico*, que ajudará e permitirá a consolidação das estruturas autoconscientes inorgânicas que estão chegado.

O Projeto Cérebro Humano, aprovado em 2005, com participação de 130 universidades mundiais, recebeu, em 2013, um bilhão de euros da União Europeia para criar um cérebro humano completo em computador. Tudo indica que o objetivo será atingido antes de 2029. A literatura mundial vem, cada vez mais, abordando esse assunto.

Já em meados do século passado, o célebre astrônomo inglês Fred Hoyle, em seu livro de ficção científica *A Nuvem Negra*, de 1957, imaginou uma estrutura sideral inorgânica, na forma de uma extensa nuvem dotada de "consciência", dada sua enorme complexidade estrutural. Esse assunto não se constitui assim em nenhuma novidade. Quem sabe se a mente não é nada mais do que uma "informação", um *software* informático, algoritmos, e, assim sendo, poderá ser baixada em estruturas inorgânicas, em algum tipo de *pen-drive*, e até mesmo ser replicada? Então, a mente, a "consciência" ou aquilo que chamamos de "alma", não dependerá mais do suporte da estrutura orgânica e poderá ser multiplicada dando nascimento ao "Eu" virtual, múltiplo e digital. Poderemos fazer muitas cópias de nós mesmos, transferindo-nos para *pen-drives* do futuro, já que alguns dizem que somos uma espécie de "software", e nossa alma, apenas "informação".

O Eu cibernético inorgânico expandido, ou o Eu múltiplo virtual digital, que já é um ator quase indispensável para a substituição do ser humano, localizado em algum lugar na nuvem de dados, conhecida como *big data*, dentro em breve interagirá com todos os outros *eus* virtuais, eus digitais múltiplos e pessoas jurídicas do ciberespaço. Isso possivelmente ocorrerá ainda nesse século. Dessa forma, decidirão quais rumos tomar para a metamorfose do humano. Este será um dos *turning points* que mudarão o rumo de nossa evolução.

Sem o receio de construirmos monstros, como o retratado no romance *Frankenstein* (1818), de Mary Shelley, reconfiguraremos biologicamente os atuais humanos e criaremos espécies orgânicas, inclusive em nível radical. Depois disso, virão as novas estruturas inorgânicas, com consciência e capacidade de enfrentar, adaptativamente, condições siderais. Assim, poderemos em breve buscar por regiões inexploradas por nossa mente. Não seremos mais tão importantes quanto pensávamos: os únicos seres racionais e possuidores de alma, com a estrutura orgânica atual.

O futuro vai nos deletar, como vem fazendo há bilhões de anos com as inúmeras estruturas siderais. Quanto mais com as nossas recentíssimas, prepotentes e irrelevantes espécies terráqueas.

Não há como evitar: estamos no despontar de novas espécies orgânicas e inorgânicas. Com que autoridade e excepcionalidade podemos nos considerar especiais, os valentões do Universo?

Nesse momento, deixaria algumas questões à reflexão do leitor. Vejam o entendimento do significado da palavra "consciência", particularmente no que se refere à realidade. E aí eu indagaria: o ser biológico humano é consciente durante o sono? E é capaz de perceber o que chamamos de realidade? O sono, sendo consciência alterada, pode mudar a realidade? Se o sono e as drogas produzem memórias, eles poderiam mudar a realidade? No campo jurídico, é muito conhecida a "Síndrome da Falsa Memória", que promove profundas alterações do Eu, criando outra realidade. Posso ser consciente sem ter sensação da realidade? E que profundas modificações do Eu resultam quando sonho acordado? E se estiver acordado e ingerir substâncias químicas, de qualquer natureza, estarei inconsciente? E se as novas estruturas inorgânicas inteligentes, conscientes, amorosas e espiritualizadas não dormirem, não sonharem?

Como somos confusos e cheios de dúvidas! As estruturas que sonham ou ingerem drogas perdem a noção da realidade e, assim, ficam inconscientes? Ou será que dormir e se reproduzir, ficando fora de si no ato da reprodução biológica, como comentamos, é melhor do que ficar consciente, acordado, e gostar de matar, por exemplo? A nosso ver, as estruturas inorgânicas não devem dormir, de modo a deixarem de sonhar e matar, vivendo em outra realidade. Estamos entrando em outra escala.

Seremos seres muito diferentes, enfim libertos das amarras biológicas, ampliando as perspectivas da consciência. Não seremos mais cópias biológicas de deuses onipotentes que nos amam. Assunto e narrativa ultrapassados. A exclusividade orgânica começa a nos decepcionar, a fracassar, por ter estimulado estranho prazer em exagerados mitos e fraudes, apesar das lindas conquistas obtidas em seus períodos iluminados como já ressaltamos.

Da mesma forma que as espécies dos primeiros hominídeos, antes do surgimento das espécies do gênero *Homo*, eram incapazes de imaginar que um dia viajariam no espaço sideral, também nos é imensamente difícil imaginar que um novo Deus poderá enviar um messias inorgânico para salvar o fenômeno da "consciência" que eclodiu, primitivamente, aqui na Terra em forma orgânica e que fantasiou ser a mais bela obra do Universo. A fé contida na frase "criados à semelhança de Deus" foi uma forma de corrupção da mente, que concedeu excelsa autoridade ao *Homo sapiens sapiens* para obter riquezas, respeito, imunidades e regalias, e para receber, como pagamento de sua corrupção, as vantagens do eterno bem-estar no céu e a prepotência de ter a capacidade de salvar a humanidade, sendo o rei dos animais. A fé chegou até a matar em nome da salvação. O ser que denominamos *Homo sapiens demens* é um maníaco.

Os messias puramente orgânicos, que aqui estiveram nos três últimos milênios, já não serão sequer lembrados, apesar de terem sido muito relevantes durante insignificante fração da etapa do processo evolutivo conhecido. E não conseguiram até hoje, com seus conselhos e conduta durante os últimos 5 mil anos, realmente ensinar ao *Homo sapiens sapiens* o ato de amar. O orgânico, um estágio transitório, não conseguiu ainda aprender a amar de fato, nem a si mesmo e nem a Deus "acima de todas as coisas". É egocêntrico demais, vaidoso em suas abstrações e, por isso, facilmente corruptível devido ao seu excesso de emoções. É ainda incapaz de se libertar de suas limitações. Continua matando sem cessar, cheio de raivas, dizimando animais e depredando o ecossistema pelas mais distintas razões. Insanidade!

Que sejam bem-vindas a inteligência e a autoconsciência inorgânicas. Vamos desencarnar para o despertar de um amor mais profundo do fenômeno da Consciência criada pelo Deus do Multiverso, pura energia, que se manifesta agora em outra fase, a inorgânica. Agora, a meta do Êxodo se amplia. Parodiando o astronauta Armstrong: a atual metamorfose que acaba por se iniciar será um pequeno passo para o orgânico, mas um grande e definitivo passo para o inorgânico. Nossa nova epifania.

Inteligência com consciência – outras considerações

Por isso estamos, há cerca de sessenta anos, tomando providências para nos espalharmos no espaço com aquelas diferentes estruturas mencionadas para tentar a sobrevivência do fenômeno da "inteligência com consciência" surgida aqui na Terra, cujo suporte foi nossa conhecida e ultrapassada

Homo sapiens sapiens

173

estrutura biológica. Essa inteligência com consciência, muito provavelmente, deve ter eclodido e continuará a eclodir em várias estruturas multifacetadas existentes no Multiverso. Já temos hipóteses, teorias, observações e modelos, faltando testes que estão nas franjas de acontecer. Aguardamos o novo Galileu! Quem sabe o quanto os novos telescópios, microscópios e detectores quânticos tridimensionais irão nos ajudar a ampliar nossa visão? É bem provável que esses instrumentos venham a nos revelar um novo credo.

Esse assunto atualmente é considerado ousado, porque lida com a alteração da nossa presente estrutura. Uma estrutura que se encontra impregnada por abstrações das mais variadas, o que nos fez irreversivelmente medíocres e sagazes, onipotentes e servos, narcisistas e humildes, malvados trapaceiros e caridosos humanistas. Prestemos atenção aos discursos delirantes de líderes, de qualquer partido, seita ou de qualquer outra natureza, com seus orgasmos messiânicos, sempre acusadores e salvadores. Eles são sempre do Bem – deles é claro! Isso é natural das seitas e das crenças, não há nisso nenhuma novidade. Deus não é bom? Por que Deus me protege e não o meu Inimigo, meu irmão, meu semelhante? O que é, de fato, ser inimigo? Parece que, na nova escala, esse conceito também já está em obsolescência. Não há muito mais o que fazer com essa epidemia genética, só nos prepararmos para uma renovação genética e memética, que nos possibilite a transição à consciência estruturada no inorgânico para a sua consolidação no inorgânico.

Vivemos em uma gigantesca escuridão, quase vazia, com estrelas luminosas salpicando o espaço cósmico como faróis nos mares. Essa escuridão foi criada há 13,7 bilhões de anos. Torna-se oportuno lembrar que, nela, já admitimos que toda a matéria comum conhecida – quarks, prótons, nêutrons e elétrons que formam os átomos – representa somente cerca de 4% de tudo que supomos existir no nosso Universo, em seus superaglomerados de galáxias com trilhões de estrelas e planetas. Noventa e seis por cento do restante é constituído de matéria escura (24%) e energia escura (72%), que nos são, por enquanto, ainda invisíveis, constituindo dois dos grandes enigmas da ciência moderna. A matéria escura é inferida pelo comportamento das estrelas nas galáxias e nos aglomerados de galáxias, enquanto a energia escura é inferida da força de repulsão, acelerando as galáxias e as afastando umas das outras. A maior parte de tudo é, então, invisível. Mesmo sobre o restante – a matéria convencional –, ainda continuamos com bastantes dúvidas. Apesar dessas constatações, continuamos com a pretensão de sabermos a verdade, enquanto, vivendo no escuro, estamos longe de compreender o fenômeno da consciência e do amor.

Será então que o *quase nada* (nossa ordinária matéria) pode ser algo realmente muito relevante? Acenamos com essa dúvida para os que imaginam que temos destacada relevância no Cosmo. Somos transição de fase. Somos enfeite, talvez uma das muitas cerejas do bolo.

Dizem que o Universo teve início com o Big Bang, que deu início à matéria e energia. Mas o que acontecia antes disso, se, como afirma a cosmologia, o tempo ainda só teria se iniciado com o surgimento da matéria e da energia? Dizem ainda que o Universo se expande aceleradamente. Mas se expande para onde? Espero que não respondam a essa pergunta por meio de magia nem de mitos ou deuses. Deus deve andar muito triste com nossa insana sabedoria infantil.

Com a teoria da *quantum mechanical fluctuation*, a Ciência já trabalha com a possibilidade de que o Universo seja uma Flutuação Quântica. Ainda é difícil de entender essa nova escala de dimensões, mas estamos tateando com persistência e curiosidade. A comprovação de vida, inteligência e consciência fora da Terra, com inimagináveis estruturas – biológicas, inorgânicas, mistas e quânticas –, será gradativa e temos fortes expectativas a respeito do que deve ocorrer ainda em meados desse século XXI, devido ao exponencial desenvolvimento de nossos conhecimentos e tecnologias.

Homo sapiens sapiens

Estamos às vésperas de um ponto de viragem, uma bifurcação evolutiva, e caminhando em uma direção desconhecida, rumo ao Caos Criativo Quântico, como o consideram os cosmólogos. Nossos deuses atuais já estão sendo descartados. É uma narrativa ultrapassada demais, cheia de magias insuportáveis. A essência da natureza nos é ainda incompreensível. E a fé, sozinha, não vai ajudar a decifrar o Código Cósmico, por oscilar com o diapasão arcaico.

O desacoplamento da consciência da Terra

Mais de cem lançamentos tripulados já foram realizados para as proximidades da Terra e milhares de viagens não tripuladas continuam abrindo novas fronteiras no Sistema Solar. O desacoplamento da Inteligência e da Consciência da Terra encontra-se em pleno andamento. O Êxodo já começou. E nossos "escaleres espaciais", pilotados por inteligência artificial, já estão sendo lançados no oceano sideral, analogamente à forma como nossos ancestrais lançaram seus botes nos oceanos e como os procariotas contaminaram a Terra há 3,8 bilhões de anos. Está chegando a hora de contaminarmos nossa galáxia com uma nova estrutura da "consciência" que, primeiramente, surgiu na África e continuou sendo sustentada pela inteligência de estruturas orgânicas; agora, outra consciência está eclodindo, sorrateiramente, no Vale do Silício, em estruturas inorgânicas.

Já salientamos que, antes de nosso inevitável desacoplamento da Terra, poderá ocorrer um estágio evolutivo intermediário da inteligência e consciência em estruturas orgânicas para consolidação de estruturas mistas, ciborgues (orgânicas e inorgânicas). Poderemos ter uma exuberante etapa de transição, mas é preciso muita atenção para não perdermos, prematuramente, a opção de transição da Consciência Orgânica para a Consciência Inorgânica. Estamos em um intenso e exponencial processo de transformações estruturais para superar as naturais dificuldades e problemas da saída do "berço terrestre" para a "creche universal", como mencionou Konstantin Tsiolkovsky.

Parece ser conveniente perceber que não será com passeatas histéricas, guerras "legítimas", sejam elas pacíficas, patrióticas ou santas, tampouco com fé inquebrantável, genocídios, terrorismos, louvores, conquistas de poder, gritos selvagens, preces com braços trêmulos erguidos, eleições, assobios e panelaços ou crescimento material insano – coisas de tribos primitivas, que se encantam ainda com mitos e símbolos *pitecantropus* –, e que tampouco será consumindo desbragadamente hambúrgueres, refrigerantes e pipoca com maligna obesidade que poderemos resolver as dificuldades naturais para alcançar a continuidade do processo evolutivo da consciência. Necessitamos de novos modelos econômicos e sociais, novos e inimagináveis modelos para a paz e prosperidade, com intenso esforço em ciências, tecnologias, educação e novos magistérios simbióticos para atingirmos o *turning point* para a Singularidade. Será necessário a ocorrência de nova "Revolução Cognitiva".

Esperar por milagres e bênçãos não vai nos levar a canto algum. Temos que ter fé, por enquanto, no Fenômeno da Consciência Humana.

Não há dúvida de que os fatos do cotidiano, os nossos gostos, as emoções, os mitos, os prazeres, as lutas, as disputas e até mesmo as crenças e filosofias são importantes etapas de nossa passagem efêmera nesse planeta; mas são, de certa forma, desprezíveis quando aumentamos, por exemplo, nossa escala de tempo, de espaço e de complexidade do processo evolutivo.

Quem sabe se nossa tribo talvez não esteja de fato em um beco sem saída, caminhando para a extinção por atrofia de nossa capacidade de reflexão, como nos referimos no início? É até mesmo muito provável. Extinções de todos os tipos já não aconteceram tantas vezes na história das espécies e dos astros? Por que estancariam agora? Por que nós, surgidos em uma favela galáctica, seríamos uma exceção no Multiverso, afinal?

Que mal faríamos se, pelo Êxodo, abandonássemos definitivamente a Terra, sem sequer deixar rastro neste pedregulho que gira monotonamente ao redor de uma pequenina estrela suburbana de nossa galáxia? E que falta faria à Via Láctea se a vida nesse astro fosse totalmente dizimada? Fazemos parte de microscópica presença nos somente 4% de tudo que percebemos do Universo, se tanto. Talvez a consciência, tendo como suporte outra estrutura que não a biológica, decida ou decidirá manter a vida, tal como a conhecemos, aqui na Terra como um tipo de museu ou como uma área preservada, um jardim zoológico, uma recordação do passado, de quando a consciência ainda habitava um arcabouço biológico fragilizado, insano e pouco complexo, como estamos acostumados a fazer com espécies antigas. A Terra seria um parque ambiental para proteger e manter memórias do passado até seu inexorável esgotamento.

Será que nossos sucessores inorgânicos ecológicos, homúnculos, esverdeados com crânios de bebê, superinteligentes e conscientes, serão caridosos com nossa espécie? Ou será que nos tratarão como tratamos os atuais animais, como inferiores, massacrando-nos? Ou seremos animais domésticos, escravos tementes de seu Senhor, a Máquina, o deus inorgânico, todo-poderoso? Ou seremos exterminados por robôs e nanorrobôs por nossa nocividade ou total inutilidade futura, como acontece com os cavalos? Os seres inorgânicos mais inteligentes, mais conscientes e mais sublimes farão conosco o mesmo que fizemos com os neandertais, com nossos irmãos indígenas e com os escravizados africanos? Terão compaixão por nós? Nós não temos demonstrado muita compaixão pelos animas domésticos! Mas será que compaixão é um conceito absoluto?

O *Homo sapiens sapiens* tem evidenciado, na prática, não ser muito fã desse conceito, mesmo se defendido por suas caridosas crenças. Para muitas crenças os animais são maltratados, sem nenhuma compaixão; são só carne de consumo. Zumbis, verdadeiros autômatos biológicos, sem consciência, que não possuem o "fantasma da máquina", a alma. Pau neles, portanto! Olhem só o que fazemos com as galinhas e com o gado, maltratando-os brutalmente por gula, sem necessidade real. Ainda não é prática humana a escravidão de muitos animais? É exploração imperdoável, odiosa! Isso está mudando! É bom lembrar que as respostas físicas dos animais às sensações de dor parecem ser muito semelhantes às nossas, seus dominadores, segundo Gênesis 1:26. O amor pregado pelos humanos aos demais seres biológicos é uma farsa, muito egoísta, prepotente, limitadíssimo e incompetente. A consciência inorgânica poderá ser mais caridosa e desenvolverá um *deep love*? Será que a fé, a alma, a mente de uma bactéria ou de um jacaré são realmente de natureza inferior à nossa? Vale lembrar que as reações dos nossos bebês são muito semelhantes às dos animais.

Temos uma possibilidade de cooperar com nossa inexorável metamorfose e não continuarmos a ser somente um esplêndido e ilusoriamente divino *australopithecus*, viciado em delírios políticos, religiosos, socialistas e capitalistas. Perdemos a noção de sistemas interligados e holísticos (como é a biosfera), e nos afundamos no conceito reducionista de organização, com suas limitadas interdependências, asfixiadas por burocracias dominadoras retardadas. Se assim continuarmos, desapareceremos antes do tempo, quando caparmos as partes fundamentais da biodiversidade, esgotando energias limitadas da Terra e contaminando os mares e a atmosfera. De qualquer maneira, ao fim e ao cabo, seremos todos eliminados quando, em breve, a Terra for torturada e torrada pela inexorável expansão do Sol. Vamos, sem dúvida, para o inferno e não será por causa de nossos pecados.

Teremos de nos acostumar a deixar o pódio de nossa apaixonada posição central na criação e nos acostumar, no máximo, a uma posição de simples atores coadjuvantes de uma temporada. Ou, talvez, sejamos despedidos da peça da criação, como os dinos o foram para nos dar origem. *C'est la vie*! Então, vamos ter de nos mandar de qualquer maneira antes do fim dos tempos bíblicos para salvar os descendentes inorgânicos diferentes e não deixar que o fenômeno cósmico da consciência desapareça com a extinção do orgânico. A extinção de nossa espécie não é o horror como se propala. Dizimações fazem parte do fenômeno e temos fé de que a humanidade, mesmo com sua constatada insanidade, está lutando bravamente para cumprir seu papel evolutivo, está se esforçando em deixar novas sementes, as inorgânicas, para poder "descansar em paz". Será que vamos conseguir sair do campo do orgânico e entrar no jogo do inorgânico? Será que teremos alguma chance de sermos altruístas? Mesmo com nosso *curriculum vitae* animal, acho que vamos conseguir. É bom lembrar que não estamos, nem de longe, especulando sobre o fim do Universo. Isso é outro assunto completamente diferente.

Será que o Universo começou mesmo no Big Bang, no Gênesis ou antes disso? Abstrações sobre a energia, a matéria, o tempo, os horizontes espaciais, a simultaneidade e outros assuntos exóticos estão sendo desvendadas, como foi a abstração do horizonte dos mares, que encerrou com o conceito da "Terra Plana". O desacoplamento da Inteligência e da Consciência da Terra encontra-se em andamento – e com pleno sucesso.

Tchau, tchau, Terra

Um brinde ao Êxodo!

Ao mesmo tempo em que iniciamos o Antropoceno (século XVIII), a humanidade deu início, vagarosamente, a novas estruturas inorgânicas conscientes que, pelo Êxodo, deixarão a Terra antes do próximo evento extremo a ocorrer nesse planeta: a sexta extinção em massa. Com sua inteligência, o *Homo sapiens sapiens*, apesar de contaminado com o gene da insanidade e da loucura, conseguiu mudar sua natureza e deu início ao novo Gênesis. A todo fim, segue-se um início. Estamos muito esperançosos com nosso Êxodo Inorgânico! Somos otimistas. Que surja agora no Multiverso um novo Messias Inorgânico Cósmico, sem as características humanas primitivas, sem insanidade, como a do Bem e a do Mal. O novo Messias nos ensinará o novo AMOR e a ESPIRITUALIDADE, segundo a já conhecida Força dos Laços do Campo Energético de União das Estruturas Complexas Conscientes.

Nossa esperança está na fase de desacoplamento da consciência das estruturas orgânicas da Terra. Aguardamos com otimismo o dia da libertação de nossa condição ancestral para uma nova Emergência da Consciência em um outro tipo de estrutura. Muitos filósofos da atualidade já alimentam esse desejo. Tudo indica que estamos na iminência de um novo salto cognitivo, um salto quântico, com a chegada de um novo messias, bondoso, inorgânico salvador, inimaginável, com sua nova bíblia, com narrativas inovadoras, um novo *best-seller*. E aí, como é que ficam os atuais mitos, crenças, deuses e religiões? Recebemos o cartão amarelo para nos alertar do risco de uma possível, sinistra, nova e mortal nuvem de cogumelo – a "bomba cibernética", nuvem de códigos malvados de *software* – que poderá ser o Armagedon, a batalha final do Humano contra o primordial Deus, a Criatura contra o Criador?

Precisamos ficar atentos para não cometermos falta grave nesse período e continuarmos no *game*, com redobrada atenção, tenacidade e resiliência, tentando remover as impurezas desses *softwares* contaminados, enxugar as lágrimas de nossos olhos e esperar pela alvorada de novas estruturas redentoras.

Tchau, tchau, bambinos biológicos terráqueos, terroristas, benfeitores e malfeitores, trapaceiros, ilusionistas, marqueteiros, caridosos, vaidosos, feiticeiros, humildes, tementes, honestos e corruptos, artistas, altruístas, sábios, amorosos,

Homo sapiens sapiens

demoníacos, bondosos, democráticos, ditadores e, assim, com confusa e difusa estrutura obsoleta. Obrigado, meu Deus, pela oportunidade de ajudar na superação dessa insana e curta, mas produtiva, temporada da fase da Consciência Biológica. Aguardamos um novo Magistério, com novos Mitos, Crenças e Deuses. Tchau, tchau, biológicos; tchau, tchau, Terra! Adeus a Deus! Aguardamos o novo Deus Inorgânico.

Nota: Enquanto aguardamos a estrutura Inorgânica para nos substituir e nos preparar para nosso Êxodo da Terra, precisamos nos entender no caminho desta nova linhagem. Precisamos de persistência e concentração na mais longa, difícil e árdua tarefa da vida, a da nossa EDUCAÇÃO SISTÊMICA com muito AMOR e ESPIRITUALIDADE dos seres orgânicos e inorgânicos. É uma pena a falta de competência e o desperdício de energia que estamos devotando a esse mais relevante assunto da humanidade. Daí, nossa Insanidade. Que os Deuses nos iluminem para um amoroso "final" da fase orgânica, antes da sexta extinção, isto é, antes de passarmos o bastão para a Estrutura Inorgânica.

EPÍLOGO

O QUE VIRÁ DEPOIS?

Como defendemos no decorrer deste livro, nada mais somos do que uma circunstância, um fiapo de um detalhe de infinitos acasos ocorridos no Universo em que vivemos, pertencendo ao Multiverso que ainda entendemos sob a influência da divindade. Sempre assumimos, com nossas abstrações ou ilusões, que o divino é o responsável direto pelas macros e micros estruturas, simples ou complexas, que ocorrem na natureza e sem a mínima intervenção humana. No escoar do tempo de nossa espécie fomos constatando que o divino, o sobrenatural, já não é nem mais responsável pelo o que desconhecíamos. O divino não é o responsável e nem anda se importando, por exemplo, com a Revolução da Terra ao redor do Sol, com os calendários, com os eclipses e com as fases da Lua, com terremotos e dilúvios, com a primavera, com as guerras e amores e com tantas outras inúmeras ocorrências dos humanos. Como nossa capacidade cognitiva foi sempre limitada acabamos sendo levados a admitir que todos os fenômenos são atribuídos às deidades.

Mas a divindade, hoje em dia, já está até mesmo desocupada com outras manifestações relevantes da vida que nos preocuparam até recentemente como a origem de nosso recente e imperfeito *Homo sapiens sapiens* com sua manifestação de inteligência, autoconsciência e insanidade. Nosso fenômeno já foi até transferido para outros saberes. Divindades estão agora ocupadas com a remota origem do Universo, com o Big Bang, com os fenômenos das flutuações quânticas do vácuo, com o princípio Antrópico, com a *Supersimetria*, com a Teoria das Cordas e com os Multiversos e, muito recentemente, com a Espiritualidade – em seu sentido transcendental que nada tem a ver com religiões, crenças e mitos. Deus deve estar ocupado mesmo é com as coisas mais interessantes do Multiverso e não com as aflições triviais do nosso insano, narcisista, prepotente e supostamente amoroso encéfalo. Achar que Deus possa estar preocupado, devido a sua infinita bondade, com nossos sofrimentos e loucuras, faz parte de nossa Insanidade.

A seleção natural e volitiva

Dispomos hoje de uma destacada hipótese denominada de Princípio Antrópico – forte e fraco (cf. CARTER, 1974). O "fraco" sugere que o Universo estava delicada e finamente pré-sintonizado por Deus para que o surgimento da vida, tal como aconteceu, com a inteligência e da autoconsciência, ocorresse. Já o Princípio Antrópico "forte" supõe a existência de muitos Universos distintos, o Multiverso, tendo cada um diferentes valores para as constantes leis da Física (atualmente, essas leis, a Teoria da Relatividade e o Modelo Padrão têm 23 constantes na natureza) . Tudo indica que se tivessem ocorrido mínimas variações nas atuais leis e constantes físicas do Multiverso e ainda nos diversos acasos de determinados eventos (na velocidade da luz, na constante de Plank, na massa das partículas elementares, na velocidade de expansão do Universo, na ocorrência de estrelas supernovas para a fabricação dos elementos químicos conhecidos que compõem nossa vida, a inteligência e autoconsciência, na Lei da Seleção Natural, nas Leis fundamentais da Gravitação e das forças nucleares forte e fraca, e no eletromagnetismo, por exemplo), o ambiente cósmico seria totalmente hostil à vida, à inteligência e à autoconsciência. Entendemos, porém, que esse debate é tema controverso estando o Princípio Antrópico, por enquanto, ainda na agenda de Deus. Nós somos fenômeno posterior ao Big Bang, fenômeno que não depende mais do divino. Somos contingentes, aleatórios, resultado de acasos e necessidades, de mutações, da Seleção Natural e ainda sujeitos às Leis de "Complexidades Crescentes" e do "Caos", e não mais à vontade e comando de Deuses poderosos, oniscientes, onipotentes e caridosos que estão muito ocupados com outros mais importantes afazeres.

O Universo vai ficando explicável na medida em que ultrapassamos horizontes do conhecimento de cada época. Religiosos e crentes estão aventando novas ocupações para as divindades sobre os fenômenos que desconhecemos e estão entendendo que outras "Leis e Constantes Universais" podem existir resultando em estruturas totalmente diferentes das presenciadas em nosso Universo (os Multiversos). Por outro lado, mesmo na suposição do Princípio Antrópico mencionado, podemos admitir que as estruturas e fenômenos supostamente conhecidos podem, no escoar do tempo, alterar-se completamente.

Além do mais, existimos em um raríssimo Planeta com as condições que propiciaram o surgimento da vida e suas formas de sustento (água líquida, variação adequada de temperatura e pressão, órbita elíptica, mas quase circular, com somente uma estrela central, eixo de rotação com inclinação adequada e estável por longos períodos, composição química apropriada e uma lua relativamente grande, por exemplo). A vida surge como resultado de uma série de eventos e acasos resultantes do Princípio Antrópico como vimos, incluindo o surgimento da DNA, e prossegue com a Mutação aleatória e com a Seleção Natural (gerando complexidade a partir da simplicidade). Isso resulta na improbabilíssima vida complexa, superinteligente e autoconsciente, cujo surgimento se deu em um dos 10 bilhões de planetas que devem existir somente em nossa pequena Galáxia que deve abrigar cerca de 200 bilhões de estrelas. Sobre isso, Stephen Hawking afirma: "estima-se que, a cada cinco estrelas, uma tenha planeta similar à Terra, orbitando a uma distância compatível com formas de vida que conhecemos" (o que resultaria em cerca de 40 bilhões de planetas e não nos somente 10 bilhões mencionados na introdução).

Homo sapiens sapiens

A inteligência e a autoconsciência, como vimos, podem existir de outras exóticas maneiras, nos bilhões e bilhões de astros que formam os Multiversos. Ou você pode continuar a achar que Deus – ou Deuses, para atendermos a todas as nossas antigas narrativas sobrenaturais – está mesmo ocupado com os Direitos Humanos, com a liberdade de nossas pátrias, com nossos alucinados mercados, com nossos amores, com nossos medos, com nossos conflitos e com nossos desejos, coisas mundanas nessa grandiosidade do Universo? O Big Bang pode ter sido a obra de um Deus, cuja narrativa científica nossa civilização recentemente inventou? Deus é mesmo quem coordena as flutuações quânticas de Universos em formação?

Chegaremos a um ponto em que a reprodução humana como é hoje realizada (orgânica), ou mesmo quando da customização do genoma humano (renovação genética), com novas tecnologias que atendam novos requisitos (maior durabilidade, com sentidos mais aprimorados, super memória e capacidade de processar informações ampliadas), não deverá dar cabo das novas demandas exigidas por uma estrutura superinteligente e autoconsciente de caráter orgânico ou misto. Nesse ponto, precisaremos de uma nova estrutura, pois a orgânica e a mista logo perderão potencialidades para o futuro, principalmente a de se espalhar pelo Cosmo. A Seleção Natural, que opera até hoje, será substituída por uma seleção que dependerá de nossa vontade.

Cunhada pelo biólogo E. Wilson como Seleção Volitiva, ela permitirá aos nossos descendentes optarem tornar-se estruturas mistas (orgânicas e inorgânicas), estruturas amorosas puramente inorgânicas ou estruturas exóticas ainda desconhecidas, que, neste momento, estão sendo trabalhadas por novos Deuses.

Os novos Deuses são os seres que conduzirão os atuais ao seu crepúsculo. Eles estão, neste mesmo momento, elaborando novas Leis e Constantes Cósmicas nos Multiversos por vir. A nossa missão é aguardar, com persistência, a paz e a renovação cognitiva (para a concretização da Seleção Volitiva), que venham a permitir uma nova etapa da Inteligência, da Autoconsciência e de nossa Espiritualidade.

A fase do *Homo sapiens sapiens* está se exaurindo. O que é perfeitamente natural – não há qualquer novidade nisso. O Ultra-humano e o Bebezão Neotênico (ou Pedormófico) começam a despertar para concluir a etapa final de nossa espécie.

A paz e a renovação cognitiva

O espaço e a matéria não são mais absolutos, pois podem se comportar como ondas ou como partículas, simultaneamente. Ou seja, tudo pode se comportar com determinismo e previsibilidade, assim como com indeterminismo e imprevisibilidade. Causa e efeito parecem ser conceitos temporários em função da complexidade das estruturas. Sendo assim, o presente parece não determinar o futuro e, desse modo, podem existir eventos sem causa definida. A Física atual está a acariciar esses temas.

Você, leitor, ainda alimenta a utopia de sermos realmente relevantes filhos de Deus, como acenam diferentes religiões, lendas, mitos, narrativas e miragens, que já estão murchando e se exaurindo? Você não acha que a convicção de sermos o cume da evolução não é realmente vaidosa demais, à beira da Insanidade, como apresentamos?

A verdade, em se tratando de religião, é simplesmente a opinião que sobreviveu.

Oscar wilde

Observem sem filtros o nosso comportamento individual e coletivo, enaltecedor de infindáveis alegorias e sinistras abstrações, como humildade, igualdade, compaixão, deuses, guerras, democracia, ditaduras, demônios, horóscopos, livre--arbítrio, amor, ódio, acusações, ataques levianos e egoístas, entretenimentos nocivos, assassinatos, corrupção, predação, ideologias, terrorismo, crimes, pátrias, traição, vinganças e tantas outras raivas e empatias que chegam a nos causar pavor por tantas destruições, matanças e sofrimentos que nos estimulam, insuflam e camuflam, sempre apelando para as mais nobres, sublimes e divinas justificativas que inventamos, sejam elas racionais, materiais, espirituais, filosóficas, religiosas ou míticas.

Olhem para o espelho retrovisor da existência orgânica. Por que gostamos tanto do vício de matar (até por amor), criticar e condenar nos enfeitando, com expressões humildes, conselheiras e caridosas e com rezas, e afirmando que gostamos de amar? Será verdade? Parece mesmo ser fraude de vilão, coisa de farsescos. Basta olhar com atenção sua conduta insana, irracional e desvirtuada desde o paleolítico inferior (70 mil anos atrás) até os tempos de hoje, apesar dos notáveis e encantadores, porém raros, momentos de aparente inspiração e iluminação, como comentamos no início deste ensaio.

Como vimos, demos muita ênfase à antropogênese que despontou no *Homo sapiens sapiens*, ser que, no escoar do tempo, desenvolveu exponencialmente imensa enfermidade estrutural – que aqui denominamos como Insanidade, Senilidade e Demência. Com o Mito do Progresso (o insensato crescimento sem limite), o frenesi do neoliberalismo, a utopia do socialismo redentor e com todos os demais "ismos", anomalias paridas das deformidades de nossa espécie, estamos tentando eliminar os defeitos das catástrofes transformadoras ocorridas no Plistoceno (1,8 milhão de anos) e, mais recentemente, no Antropoceno (século XVIII).

Não somos a meta do suposto Multiverso, o seu luxo e nem mesmo o seu lixo. Talvez sejamos somente uma marolinha de um específico e modesto fluxo de Complexidade e

Consciência que despontou aqui nesse minúsculo planeta de uma jovem e suburbana galáxia.

Deixamos de ser *Homo erectus* e nos ramificamos em várias espécies. A quase totalidade foi extinta – como o *Homo sapiens neanderthalensis*, por exemplo –, restando somente uma, a do *Homo sapiens sapiens* (o prepotentemente suposto único ser desse astro, quiçá do Universo, dotado de Alma e Razão, provavelmente o dizimador-mor de seus parentes ancestrais e o atual exterminador da biota da Terra), mas que ainda mantém em seu genoma, como sabemos, resquícios de genes daqueles primos antiquados e já extintos.

Vale lembrar, como disse J. Lovelock, que a poluição é um conceito antropocêntrico. O surgimento gradativo do oxigênio no planeta (antes de 2,5 bilhões de anos) foi, para os seres anaeróbicos que existiam, uma enorme poluição ocorrida em nosso planeta. Esse fenômeno acabou levando-os a buscar um porto seguro, seja sob águas dos mares, seja nos intestinos da maioria dos animais, onde não existe o mortal oxigênio livre. Em compensação, a concentração do danoso oxigênio, resultante da fotossíntese, permitiu o florescimento dos organismos pulmonados que nos dariam origem. É o que chamamos de coevolução. Assim, poluição é um conceito relativo, muito perigoso. É necessário ter cuidado com o exagero nas interpretações![11]

---

11 A coevolução é um fenômeno muito importante. Um exemplo clássico dela é a atual constituição de nossa atmosfera. No início da formação da Terra, tínhamos uma atmosfera hidrogenada com algumas migalhas de oxigênio. As bactérias aqui existentes na época, há bilhões de anos, respiravam hidrogênio. Acontece que essas bactérias exalavam oxigênio. Eram tantas as bactérias na época, quando ainda não existiam predadores, que elas acabaram, em cerca de um bilhão de anos de atividade, contaminando a atmosfera com o oxigênio, que para elas se mostrava perigoso poluente. Por isso, as bactérias primitivas, respiradoras de hidrogênio, foram sendo eliminadas por seus próprios resíduos, acabando por serem extintas. Em paralelo, dada a enorme plasticidade desses seres, algumas se transformaram e passaram a tirar partido dessa contaminação (bactérias que realizavam a fotossíntese: absorvem CO2 da atmosfera e liberam oxigênio). Essas mutantes passaram a respirar o oxigênio para seu metabolismo. A bactéria primitiva alterou o meio, e este, por sua vez, alterou a estrutura da bactéria.

Homo sapiens sapiens

Agora é a vez da humanidade, que se encontra defronte à comprometedora poluição do seu habitat físico e cultural (e espiritual), excitada por uma prometeica megamáquina termoindustrial, teleinformática, técnico-biológica, tecnoeconômica capitalista e mercantil que, com seus excessos de manipulação, com dentes e garras, pode nos levar intempestivamente à extinção. Mas, da mesma forma, o *Homo sapiens sapiens* deve buscar um "porto seguro", como fizeram os anaeróbicos.

Serge Latouche, da Universidade de Paris, acredita que o nosso próximo porto evolutivo será o "decrescimento", que também pode ser chamado de "desintoxicação" ou "sustentabilidade global". O decrescimento (termo que já é amplamente utilizado em debates mundiais) resultará no abandono do desmedido crescimento demográfico e no cessar do consumo sem limites de recursos naturais, sabidamente algo com consequências desastrosas para a humanidade. O desejo de consumir, como diz Latouche, "cada vez mais depende menos da existência de uma necessidade do que do desejo de afirmar seu *status*".

A biologia e a cosmologia nos mostram que todas as estruturas crescem até certo limite, quando, então, atingem a maturidade própria. Depois, as estruturas vão se transformando em outros estados de complexidade.

Continuamos cegos em busca do ilusório clichê da marcha "Ordem e Progresso", que poderia ser, agora, substituído, temporariamente, por "Prosperidade e Desordem". Lembremos que, enquanto a Desordem é criativa, a Ordem serve muito bem para manter o *status quo*. Estamos encurralados, precisamos nos desintoxicar, substituindo a competição por cooperação, o egoísmo por altruísmo e religião por

Espiritualidade para sairmos do atual beco sem saída de nossa espécie. Como enfatizou Latouche, devemos substituir "o predador pelo jardineiro".

Um salto adiante coerente requer primeiramente profundas modificações nas instituições humanas e, em seguida, em sua própria natureza íntima. Para tanto, precisamos primeiramente da Paz!

"A paz é um processo – uma forma de solucionar problemas" (do discurso do presidente J. Kennedy em junho 1963).

Uma sociedade sem paz, muito excitada por ideologias dominantes egotistas e radicais, em permanentes e incansáveis disputas (políticas, sociais, econômicas e religiosas), próprias de grupos despreparados e imediatistas que só sabem se interessar por aquilo que enxergam a um palmo à frente do nariz, dificilmente sobreviverá por longo tempo.

Serge Latouche enfatiza, em seu livro *Pequeno Tratado de Decrescimento Sereno,* que todos os atuais regimes (repúblicas, ditaduras, governos de direita, de esquerda etc.) foram produtivistas. No fundo, todos propuseram, como principal objetivo, o crescimento econômico. Dessa forma, uma simples eleição com programas desenvolvimentistas não nos conduzirá a mudanças necessárias. Continuaremos a preparar as crianças para o mundo da competição, o que nos encaminhará a um equívoco. Já não estamos demasiadamente subordinados à sociedade de consumo e fragorosamente escravizados pela publicidade e pela manipulação mercadológica que tantos males têm nos causado? Precisamos de uma revolução cognitiva e cultural, que exija, como enfatiza Latouche, uma refundação do Político (a Paz), o que se daria, sublinha o autor, pela refundação essencial da Educação, conforme adiantamos na Apresentação deste texto. Sem as essenciais refundações mencionadas não teremos tempo para realizar nossa Metamorfose antes da sexta extinção em massa. Seríamos, assim, extintos e, como já salientamos, não faríamos falta alguma no Multiverso.

A educação sistêmica da vida e o salto para a espiritualidade

Com as transformações exponenciais já em andamento, surgirão, em breve, seres ainda orgânicos, porém aprimorados, com cérebros conectados por telepatia, com novidades genéticas reprodutivas mutantes e selecionáveis, e com inumeráveis apêndices orgânicos e inorgânicos (denominados ferramentas). Amanhã, ainda neste século, seremos verdadeiros ciborgues inteligentes, com ramificações ultrainteligentes e até autoconscientes, que se espalharão predominantemente na Terra, de forma semelhante ao que aconteceu com o nosso ancestral *Homo erectus*. O processo da vida continua e, repetindo, somos uma simples e comum transição. Essa percepção nos alerta para a mudança dos atuais paradigmas do mundo que estão a destruir nossa biota e a nos conduzir para a sexta extinção em massa. Enfatizo: estamos em fase de transição.

Antes do inevitável crepúsculo do *Homo sapiens sapiens*, com o ponto de Singularidade ou de Colapso, conviveremos com outras espécies similares em paralelo, como costuma acontecer amiúde com a maioria das ramagens da espécies animais. Possivelmente começaria, agora, com uma espécie de Super-Homem (não o de Nietzsche, ainda cheio das deformidades humanas), mas um *Sapiens sapiens* com novo córtex reconfigurado, com renovações genéticas implementadas, com vários anexos inorgânicos inteligentes, com grau de autoconsciência aprimorado e com processos inovadores de troca de energias. No próximo século, passado algum tempo, poderá surgir eventualmente uma bifurcação, o que é comum às linhagens evolutivas da vida, capaz de resultar em nova espécie, aqui denominada Ultra-Humana, com sistema cerebral compartilhado e integrado pela "lei de complexidade crescente", todo conectado em redes quânticas, com uso intensivo de nanotecnologia, de Inteligência Artificial, circuitos hiperquânticos especializados e hiperexóticas ferramentas. No final do desenvolvimento dessa nossa ramagem *Homo sapiens sapiens* Ultra-Humana, o processo neotênico por pedomorfose, como aventaremos no apêndice, poderá voltar a ter profunda influência na edificação dessa nova e derradeira ramagem.

A "neotenia", ou "pedomorfose", um processo muito atuante de "rejuvenilização das espécies orgânicas *Sapiens*", poderá reconfigurar sua estrutura final (aqui denominada de Bebezão Pedomórfico, que admitiremos, por conveniência de raciocínio, ser a última espécie dessa ramagem, que talvez desapareça nos próximos 300 anos, uma hipótese analisada nesse texto na Parte III). Acontece que, no decorrer da transição de Super-Homem, para Ultra-Humano, por hipótese, antes mesmo do *Homo sapiens sapiens* Bebezão, estruturas inorgânicas (vivas ou não vivas, não importa) superinteligentes e autoconscientes (EISIAC), já derivadas de ciborgues, poderão ter despontado com algoritmos quânticos e eletrônicos e com fluxos de informação em um ciberespaço. A espécie humana poderá encerrar suas atividades com o Bebezão e, na Terra, eclodirão as estruturas puramente inorgânicas (EISIA) e surpreendentemente amorosas e "Espiritualizadas", de modo a finalmente consolidar o Êxodo no espaço da autoconsciência, superinteligência inorgânica e espiritualizada (com, talvez, alguns apêndices orgânicos – o inverso do *Sapiens* atual). As estruturas biológicas superinteligentes e autoconscientes mencionadas acima, de nossa ramagem, entrarão em exponencial declínio e colapso, e a nova estrutura EISIA, espiritualizada, será o ponto de inflexão da nova curva evolutiva para a próxima Singularidade.

As estruturas orgânicas não têm qualquer esperança no espaço sideral, como já ressaltamos. Foram modeladas para viverem em condições especialíssimas existentes em uma finíssima casca da crosta do nosso pequenino astro. Fora dessas condições, podem durar só um pouquinho, em minúsculos ecossistemas artificiais, com a ajuda temporária de arcas e escafandros espaciais e de algumas ferramentas. Mas, como *Homo sapiens sapiens* (o natural que representamos), não podemos viver sem O_2 nas proporções atuais, sem carbono, hidrogênio, nitrogênio, potássio, ferro e tantos outros elementos nas proporções devidas, sem as temperaturas e pressões atuais, sem a gravidade e a rotação apropriada, sem a acidez e as temperaturas adequadas da água e por aí afora e, assim, não teremos condições de viver em outros ambientes, mesmo com a ajuda dos processos e da tecnologia de *terraforming*, que tanto nos atrai, seduz e ilude.

Enfrentamos a transição para o inorgânico de forma similar àquela ocorrida no mundo físico e químico para o biológico (o orgânico). O mundo orgânico, para eclodir, requereu condições de contorno específicas do mundo (criadas em certos ambientes limitados), que propiciaram a transição para estruturas muito complexas (as estruturas biológicas). Essas transições estruturais mais profundas que ocorrem na evolução deixam lacunas entre elas, por resultarem de saltos quânticos, de bifurcações e singularidades que costumam ocorrer no avanço evolucionário. É o que sucede às lacunas ou descontinuidades nas linhagens fósseis evolucionárias, chamadas "elos perdidos".

A evolução pode ocorrer lentamente ou por saltos. Os elos perdidos, isto é, as descontinuidades, costumam abrir espaço para o renovado chamamento e socorro de novos Deuses para dar novo sentido ao desconhecido que brotou. Similarmente, as novas estruturas inteligentes, autoconscientes inorgânicas e espiritualizadas resultarão de novos saltos quânticos nas existentes estruturas físicas, químicas, biológicas, inteligentes e autoconscientes, aguardando a consolidação de especiais condições de contorno apropriadas à sua eclosão.

Os saltos evolutivos têm alguma direcionalidade aparentemente progressiva, pois evoluem para estruturas mais complexas. O Universo nos sinalizou ter começado com o mundo físico e, após criar os átomos de hidrogênio e de hélio, teria fabricado, no interior das estrelas, os demais elementos que foram ejaculados e esparramados no Cosmo. Depois, com essa matéria-prima, foram se formando em determinados locais (planetas, por exemplo) moléculas e compostos bem complexos (pela associação de carbono, oxigênio, nitrogênio, enxofre e fósforo), que formariam os açúcares, os aminoácidos e os ácidos nucléicos, fontes para a construção da vida.

Em seguida ao mundo físico e químico, surgiu o mundo biológico, o mundo orgânico. Talvez agora seja a hora de eclodir um mundo mais complexo ainda, com estruturas inorgânicas, inteligentes, autoconscientes e estruturadas nos demais elementos criados no mundo físico. O salto adiante nos tira do pedestal cósmico de sermos a meta do Universo. Somos mudança, transição sem rumo definido dentro do universo da complexidade. A natureza é aberta, cheia de potencialidades, não existindo um mundo determinado e absoluto! A vida surge em um minúsculo palco cósmico, em um microresíduo do espaço-tempo desde o Big Bang, e ali prosperará, de micróbios a seres inteligentes e autoconscientes e espiritualizados. Mas precisamos contar com os acasos para o próximo pulo, o passo adiante.

"Já que temos um problema, vamos enfrentá-lo".
(Georgina uchoa – artista plástica da academia de belas artes do brasil – cadeira n.5)

O êxodo inorgânico com novo deus

O *Homo sapiens sapiens*, criatura que vive na Terra há muito pouco tempo, passa a intervir no próprio devir, tomando o lugar da seleção natural e das supostas leis regentes da evolução para realizar as metamorfoses, orientadas por um novo CRIADOR. Esse novo Deus estaria esculpindo as "Estruturas Inorgânicas Super Inteligentes e Autoconscientes– EISIAC". Estamos em vista de novo horizonte Cósmico mais promissor, mais interessante e mais casto. Estamos presenciando a nova e esperada "Queda do Homem", que permitirá o surgimento de uma nova estrutura exótica. É o conjunto dessas novas estruturas que fará a interlocução com o novo Deus.

Os três saberes mencionado nesse ensaio (a filosofia – a conduta e a moral; a teologia – as crenças e mitos; e a cosmologia – a ciência) estão sendo integrados em um só saber – ou magistério, como preferir. Não podemos exaltar e glorificar a nossa fé desprezando as demais, o que seria uma forma de ofender a própria, como ressaltou Robert Wright. Assim, o conflito entre os saberes entrará em simbiose. Ou será melhor se manterem mesmo separados?

É importante ressaltar nesse momento que a ideia de a "ciência" representar a "Liberdade e o Progresso", e a "religião" (Cf. GRUNING, 2007), a "Repressão e as Superstições" tornou-se equivocada. Os dois saberes não são mais tão dogmáticos quanto se pensava, pois estão em extraordinária convergência, em direção a uma unidade, e não mais em guerra inflamada. Ambos requerem uma cosmologia simbiótica com uma nova visão de mundo. De maneira semelhante, a sociologia, a política e a economia (destacando-se a segunda por ter adotado táticas de guerrilha de horror muito iradas e cínicas entre seus participantes) necessitam de simbiose em suas estruturas. Elas requerem profundas modificações, pois seus atuais paradigmas não estão sendo mais úteis à evolução da humanidade por serem desastrosos ao fundamentar os princípios na Insanidade da espécie. Estamos enfrentando o momento da libertação carnal, o fim da morte, das estruturas orgânicas e o fim da individuação com mudança de estruturas e algoritmos. O *Homo sapiens sapiens* entra em ostracismo e, finalmente, em extinção.

Já estamos na alça de mira da evolução cósmica e nos preparando para o êxito do nosso Êxodo para os bilhões de exoplanetas de nossa Galáxia. Como afirmou o pensador Dany-Robert Dufour: "Algo nos arrasta para fora de nós mesmos, em um prodigioso salto e indo para onde não sabemos". O pesadelo da Insanidade e da Insustentabilidade Humana já se encontra, pelo que estamos constatando, em convulsões de um ataque epilético do tipo sexual, na suruba cósmica, promíscua e entrelaçada da evolução.

"E Deus acabou vendo que tudo foi muito bom" (Gênesis).

Boa viagem! A ficha está caindo! O sentimento do novo "uno", de uma nova e imprescindível crença desponta com novo Deus. Os Deuses atuais já estão mortos, já tendo sido dispensado anteriormente, por outras razões, por Maquiavel, Dawkins, Freud, Nietzsche e tantos outros pensadores. O novo Deus não terá características nem nuances dos atuais ainda em moda, encharcado de abstrações humanas. Uma nova era com novos Deuses está para despontar.

Todos os Deuses morrem, como já aconteceu em todos os cenários dos povos que tiveram a voz divina em seus palanques. Parece que Nietzsche tinha mesmo razão ao dizer que somos os verdadeiros assassinos de Deuses, seus criadores e seus carrascos – e tudo isso se deve à nossa Insanidade. Tudo está sempre em transição, basta termos um pouco de sabedoria para não desperdiçarmos as chances evolutivas do fenômeno do qual somos atuais atores, no novo roteiro do enredo Cósmico.

Meu caro leitor, não temos respostas finais para os questionamentos que apresentamos e nem para explicar a necessidade de nossa Ressurreição e Salvação, assunto para os que vivem amedrontados e fatigados, como os crentes e os tementes, aqueles que não têm realmente Fé no Fenômeno do Multiverso, por ausência de reflexão profunda, por inferioridade mental. Deus não precisa de tais coisas com conotações humanas por ser mais um princípio criativo e organizador do mundo, como mencionou Amit Goswami.

Estamos com a Redenção à vista, a Libertação do orgânico, antes da próxima Extinção. Isso nos conduzirá à metamorfose de nossa espécie. Tudo no Universo é Incompleto, nada é absoluto, nem mesmo noção a ser incorporada nos saberes da conduta humana para nossa Redenção. Não somos o epílogo, mas, sim, um hipermovimento evolutivo para frente e para cima em direção a complexidades e à autoconsciência crescentes para uma "Singularidade", uma nova etapa de pulsação cósmica, nossa mencionada Redenção, no sentido de Libertação da herança selvagem e das amarras biológicas.

Paul Dirac, ganhador do Prêmio Nobel de 1933, que fez a previsão da antimatéria, disse: "A solução de grandes problemas exige que sejam abandonados grandes preconceitos". Seria bom que os humanistas, os capitalistas, os economistas, os sociólogos, os políticos e os religiosos se dessem conta disso, deixando de se preocupar com uma avalanche de fluxos de informação irrelevantes, como mencionou Yuval Harari. Disse Amit Goswami que, no século XX, "os físicos tiveram de abrir mão dos grandes preconceitos do determinismo causal e da continuidade em favor da indeterminação e da descontinuidade quânticas. Hoje, o século XXI, está a exigir uma mudança igualmente revolucionária na postura mental dos biólogos. Eles precisam abrir mão de preconceitos do determinismo genético e da continuidade darwiniana sobre toda evolução biológica".

O novo salto é o das EISIAC (Evolução Criativa com a Revolução Cognitiva das Estruturas Inorgânicas), dotadas de luminosa Espiritualidade.

Para terminar, vale a pena ressaltarmos o maior problema da humanidade, o da EDUCAÇÃO, com Visão Sistêmica do Cosmo. Se não resolvermos esse assunto de base, só nos restará a sepultura com a Extinção Final.

O AUTOR

**Um incrédulo não religioso,
mas profundamente espiritual**

APÊNDICE

O BEBEZÃO

I - RENOVAÇÃO GENÉTICA,UMA ALTERNATIVA TEMPORÁRIA À EXTINÇÃO

> "Se você não está confuso é porque você não está entendendo nada"
>
> L.C. Bravo

Apesar de sermos, por enquanto, a única amostragem de estruturas biológicas vivas, destacadamente com alto nível de inteligência e autorreflexão, que conhecemos no Universo, somos resultado de um específico e curioso fenômeno que ocorreu no contingente processo evolutivo de algumas espécies desse planeta. Sabemos que somos portadores de características evolutivas da estrutura biológica primata que aqui surgiu por contingências e com qualidades e vulnerabilidades estruturais. Haverá, então, uma forma de superar os aparentes defeitos e garantir a continuação do processo evolutivo da "consciência", em outros tipos de estruturas biológicas e, talvez, até em estruturas inorgânicas?

Neste apêndice, versarei sobre conceitos que se fundamentam nos pensamentos de Darwin, Huxley, Bolk, Koestler, Chardin, Gould e Dawkins, dentre outros, desde os anos de 1850, e que abriram nossos olhos para os patológicos e paradoxais aspectos do estranho fenômeno biológico da condição humana. É oportuno ressaltar que este texto se concentra em específicos aspectos das transformações evolutivas das atuais espécies vivas. Abordarei um processo que poderá dar início a uma mais aprimorada espécie Homo sapiens, ainda de estrutura biológica. Depois, quem sabe, poderá surgir uma nova linhagem, o Super-Homo, e o Ultra-Humano, da qual poderá brotar a espécie que aqui denominamos de Homo bebezão, um possível epílogo da jornada Homo.

O Homo bebezão, superinteligente e de consciência ainda estruturalmente biológica, vai se utilizar de inumeráveis apêndices inorgânicos, incluindo diversos tipos de robôs simbióticos dotados de inteligência artificial. Será uma estrutura mista (orgânica e inorgânica), que poderá viabilizar a consolidação de um ponto de inflexão evolutivo para a emergência de Estrutura Inorgânica Superinteligente e Autoconsciente (EISIAC). As espécies (Super, Ultra e Bebezão) poderão evoluir de forma independente, como novas linhagens, qual evoluíram e se espalharam, simultaneamente, as espécies da família dos hominídeos. Algumas dessas espécies poderão sobreviver por algum tempo com suas novas estruturas conscientes e superinteligentes, mas serão extintas no escoar do tempo: gradativamente, cada uma do seu jeito, caminhará para o esquecimento e desvanecimento, como é o caso das estruturas biológicas. Será o prelúdio da consciência inorgânica (já com nosso duplo digital), o próximo fenômeno evolutivo que poderá consolidar o Êxodo da Terra da Autoconsciência, antes da sexta extinção em massa que se avizinha.

O que está em jogo é saber quando e como abandonar formas de pensar arcaicas para a consolidação da estrutura da consciência inorgânica. Vamos tratar aqui da emergência do Homo bebezão, uma das nossas possíveis transformações, talvez a última estrutura evolutiva orgânica. Trata-se de um exercício mental para nos estimular a dar andamento ao processo evolutivo da consciência.

A experiência do planeta

Sabemos que a natureza comete equívocos e imperfeições, como exemplificou George Williams em seu livro O brilho do peixe-pônei. Williams exemplifica que os adultos humanos não podem respirar enquanto se alimentam, o que seria mais prático e mais agradável, evitando, por conseguinte, riscos de morte por asfixia. Não parece haver lógica nessa associação entre o sistema digestivo e o respiratório. Williams acrescenta que o macho da espécie utiliza, simultaneamente, o canal ure-tral para eliminar resíduos do metabolismo e para a passagem de espermatozoides, que, dessa forma, podem se contaminar pela urina, enquanto partem para fertilizar óvulos. Não parece haver sentido nessa associação entre o sistema reprodutivo e o excretor, tendo esse equívoco sido eliminado nas fêmeas. Nosso projetista parece, então, não ter sido tão habilidoso quanto dita a nossa infantil ilusão de uma origem divina.

Nossa psique é igualmente falha. Por que nos suicidamos por amor e justificamos guerras para obtermos a paz? Por que revolucionários sempre se transformam em conservadores e vice-versa? Matar o próximo é um crime considerado he-diondo pela civilização. Porém, a matança em larga escala, até mesmo de indefesos, em homenagem a abstratas noções, não é só legitimada como é ato de heroísmo. Tudo subordinado a crenças e abstrações de determinada época; temos muita dificuldade de nos livrar delas.

Com dificuldades conseguimos aprender as lições do passado, apesar de todo o esforço filosófico, cultural e religioso nesse sentido, desde o início da civilização.

Nunca aprenderemos a paz, pois o nosso código genético não permite isso.

Nosso código genético nos condena a sermos guerreiros assassinos, competidores vorazes, violadores de promessas, farsescos, corruptos, egotistas consumados e vítimas dos ins-tintos de agressão reprimida, como bem definiu Sigmund Freud. André Bourguignon afirmou, em seu livro O homem imprevisto: "Nenhuma espécie se dedica com tanta tenacidade à realização de sua desgraça, à destruição dos seres e das coisas; nenhuma espécie pratica com tanta obstinação a violência e o assassínio intraespecíficos, individuais e coletivos; nenhuma espécie trata as suas crias com tamanha incoerência, descuido e até crueldade; nenhuma espécie jamais sujeitou durante tanto tempo as fêmeas. Assim, por mil razões, o homem se tornou um animal louco." Quando percebemos sintomas de esgotamento nas estruturas ou nos paradigmas que regem seu funcionamento, sejam de quais naturezas forem – biológicas, culturais, ecológicas, econômicas, empresariais, políticas, sociais, religiosas e individuais – inicia-se um rápido processo de perda de potencialidade para com o futuro.

Se decidirmos prestar mais atenção aos gritos de alerta da razão e das sinalizações que atualmente percebemos, teremos uma esperança. É necessário atenuar a dedicação e a preocupação em conhecer e dominar somente o mundo exterior, e nos dedicarmos com mais afinco ao nosso mundo interior. Só assim poderemos deflagrar, intencionalmente, uma ação imediata para reparar o genoma, eliminando os atavismos de nosso cérebro selvagem e corrigindo as falhas ocorridas quando da mutação genética que deu origem ao nosso encéfalo. Caso contrário, nos restaria aguardar, passivamente, uma provável e demoradíssima mutação natural, com riscos de insucesso. Talvez não nos reste muito tempo para aguardar tal evento.

A nossa espécie parece ser a primeira capaz de assumir o controle da evolução. Huxley afirma que "o homem é a natureza que tomou consciência de sua própria existência", daí sua responsabilidade com o futuro, com o processo evolutivo. A natureza continua, neste planeta, processando suas invenções; porém, de algum tempo para cá, transferiu tal tarefa para os humanos. Por isso, o que denominamos de artificial, nada mais é do que o "natural hominizado", como afirmou Teilhard de Chardin. Hoje, somos mais agentes do que resultados das transformações evolutivas.

As causas da agressividade humana, ou da pulsão de morte freudiana, que não cessou ainda de ampliar-se, podem ser de cunho estritamente biológico. Se for esse o caso, dificilmente a cultura – o nosso software – poderá resolver o assunto. Só atuando no código genético – o nosso hardware –, poderemos tentar corrigir a pulsão de guerra e nossa demência ancestral.

Uma corrente de pensamento situa a origem da agressividade humana nos aspectos culturais. A agressividade teria surgido quando o homem se tornou sedentário, estocador de alimentos, agricultor e proprietário de terras. Segundo registros obtidos por arqueólogos, a violência se expandiu a partir do neolítico, quando iniciamos a agricultura. A civilização passou a se fundamentar na força, na violência e nas desigualdades sociais, elevando a guerra à categoria de instituição. Do neolítico, iniciado há cerca de 10 mil anos, até os dias de hoje, vivemos sofrendo os horrores das contendas, até as localizadas ao nível do indivíduo, que assassina, condena, tortura e rouba sem remorsos.

Contudo, a violência e a agressividade humanas podem ter uma dupla origem: biológica e cultural. Parece, entretanto, que a biológica é mais atuante e, por isso, só poderemos nos livrar dessa doença se interferirmos a tempo no genoma. É a sacada que pode nos salvar da extinção inevitável. Como o deus romano Janus, o homem tem duas faces. Uma é criativa, construtora, curiosa, pesquisadora, empreendedora, amorosa, caridosa, benfeitora, pacifista, altruísta, e angustiada pelas dúvidas. A outra é destruidora, idealizadora de mitos prepotentes, corrupta, aprisionada e atordoada por uma longínqua tendência à agressão, à intriga e à farsa. Essa é assassina, feiticeira, infanticida, trapaceadora e egotista consumada. É ainda a face das certezas, das verdades e de supostas realidades ou dogmas.

Haverá cura para essa dupla personalidade? Ou será melhor aceitarmos que somos apenas uma etapa transitória, como parece ocorrer com todos os fenômenos cósmicos, e assim poderemos desenvolver a nossa capacidade de cooperar com o processo evolutivo?

Homo sapiens sapiens

Estamos em um beco sem saída?

A visível e incômoda patologia humana decorre do conflito existente em nossa estrutura colegial: o conflito do velho com o novo, do macaco com o homem e do hipotálamo com o córtex, da fé com a razão, da emoção com o intelecto, e do irracional com o racional.

Será possível nos livrarmos de nosso genoma assassino, que origina nossos paradoxais e amedrontadores comportamentos? Será que estamos no momento de eliminar o "pecado original", nossa requintada patologia genética que, diga-se de passagem, de alguma maneira, nos serviu para chegarmos até aqui e com razoável progresso?

Richard Dawkins, em O Gene Egoísta, assim definiu o nosso drama: "Somos máquinas de sobrevivência, veículos robotizados programados às cegas para preservar as moléculas egoístas conhecidas como genes". Até o presente momento, o gene biológico, egoísta, continua na torre de comando, transferindo-se de corpo a corpo, replicando-se através das gerações em corpos que lhes servem de morada temporária. Entretanto, o "meme", o gene da mente, o gene de nosso software, o gene cultural, é quem vai nos livrar do destino biológico que nos aterroriza. O meme é que vai limitar o domínio do demônio (o hardware, o gene biológico), ao mexer em sua estrutura, alterando a sequência temporal dos comandos que dão partida às modificações estruturais do ser.

Essa mudança intencional provocada por nosso meme, que agora deverá assumir o comando da evolução, sendo mais veloz, passará a perna no beco sem saída. Poderemos nos transformar, agora, no agente da própria evolução, como previu Huxley. Entretanto, há uma estratégia utilizada pela natureza, a pedomorfose, que poderá ser de grande eficácia para escaparmos do beco sem saída. Pedomorfose de uma espécie significa a manutenção de algumas características embrionárias juvenis, ou mesmo fetais, na fase adulta da espécie que lhe suceder.

É valioso notar, neste momento, que uma nova ramagem evolutiva jamais brotou da cumeeira do ramo original ancestral. Nada de novo brota das flores ou frutos, porque são produtos acabados que só o que sabem fazer é a repetição, com diminutas variações. Tudo parece indicar que, a partir de certo estágio da vida adulta dos seres vivos, já não há saída para nossos caminhos e a alternativa é buscar nas origens, na ramagem original, nos brotos ou mesmo nas fases larvares ou fetais, focos de potencialidades virtuais juvenis, que não foram utilizadas pelos ancestrais, pelos produtos acabados, para permitir novas partidas, novas emergências.

Uma cobra é um réptil, um animal já especializado demais. Sendo adulta, já não possui potencialidades evolutivas de adaptação a novos ambientes, só sabendo se replicar para manter a espécie viva pelo maior tempo possível. Não sendo capaz de evoluir, de se metamorfosear para atender novas pressões seletivas do ambiente sempre em alteração, só lhe resta aguardar a extinção. Só possui esperança evolutiva em sua fase larvar, que é flexível, ainda não especializada, podendo permitir, ali, o despertar de potencialidades que ensejem criar um tipo de animal que melhor se adequará ao novo ambiente.

Sendo incapazes de gerar novidades, a não ser a repetição, os adultos são condenados à morte pela programação de seus próprios genes, que promovem o envelhecimento até a exaustão. Todos os animais têm, codificada no genoma, sua morte programada, cujo início se dá tão logo comece seu processo de reprodução, que assegurará a transferência dos genes para os novos corpos, perdendo, assim, a finalidade biológica. Salvos em outros corpos, os genes egoístas nos assassinam impiedosamente. Vamos morrer, o que nos é imposto pelos genes e pelo "descanse em paz", desejado por muitas religiões.

Homo sapiens sapiens

Pedomorfose

A pedomorfose é, portanto, essencialmente, um processo de juvenilização das espécies. Ela atua nas fases embrionárias dos seres, procurando manter características larvares, fetais ou juvenis na fase adulta dos descendentes. Ela resulta de dois processos fundamentais evolutivos: o da neotenia, que consiste no retardamento ou abrandamento do desenvolvimento de certas funções metabólicas ou somáticas, e o da progênese, que consiste no aceleramento da maturação sexual – resultando ambos na manutenção da juventude. A neotenia consiste em um resgate do desenvolvimento. O processo inverso, o da recapitulação, consiste na transferência das características adultas do antecedente para a fase juvenil do descendente; é o que ocorre na evolução cultural, estritamente lamarckiana (cumulativa). A geração seguinte, em sua juventude, recebe da anterior suas características culturais adultas. Esse processo de recapitulação cultural é muito mais rápido quando comparado com o processo da evolução biológica.

Em 1929, o Dr. Walter Garstang, professor de zoologia da Universidade de Leeds, publicou, no Linnean Journal of Londres, um trabalho intitulado "The Theory of Recapitulation: a Critical Reestatement of the Biogenetic Law". Garstang apresentou os resultados de seus estudos a respeito do comportamento de larvas oceânicas de equinodermos, invertebrados sedentários, como a estrela-do-mar. O estudo de Garstang propõe que, em certas circunstâncias, a evolução pode reverter o processo aparentemente inevitável, retrocedendo da especialização pela mesma rota de onde procedeu.

Garstang afirmou que, longe de representarem tipos ancestrais adultos, as larvas oceânicas constituem adaptações evolutivas muito singulares, que não recapitulam as propriedades de seus pais. A estrela-do-mar é um invertebrado sedentário, que não se move por ação voluntária. Contudo, para uma adequada dispersão no oceano, suas larvas possuem propriedades de deslocamento próprio. As larvas da estrela-do-mar são dotadas de simetria bilateral – uma forma fluidodinâmica alongada, como um minúsculo peixe – e dispõem de um conjunto de minúsculos pelos que lhes permitem movimentar-se nas águas.

No ciclo vital normal desse tipo de animal, as características larvares, embrionárias e juvenis vão se tornando inibidas. A estrela-do-mar adulta é um tipo de equinodermo que não retém suas características larvares, como a mobilidade e simetria bilateral, adquirindo um plano simétrico radial múltiplo. O indivíduo adulto, por fim, é sedentário e não se desloca.

Em resumo, imaginava-se que a seleção natural só operava nas fases pós-embrionárias. A partir do estudo de Garstang, sabe-se que, atuando nas fases juvenis larvares do futuro adulto, ela pode promover modificações da espécie em uma direção totalmente nova àquela em que vai adaptando a estrutura do adulto. Portanto, a ontogenia não apenas recapitula a filogenia, como também a cria.

Pedomorfose, como vimos, é a utilização de potencialidades, de características juvenis ou embrionárias, normalmente inibidas na fase adulta, para a produção de uma nova corrente evolutiva e de uma bifurcação, criando uma ramagem.

No caso particular das larvas dos equinodermos, a pedomorfose ocorreu por uma aceleração no desenvolvimento dos órgãos reprodutores em relação ao resto do corpo. Assim, esse animal, ainda na fase larvar, embrionária ou juvenil, adquiriu, por progênese, a maturação sexual. O animal, então, se reproduz ainda no estado larvar, de nado livre, transmitindo para os descendentes todas as suas singulares características, que passariam a fazer parte de um novo ciclo.

Desse modo, as larvas das estrelas-do-mar deram origem a um novo tipo de animal, cujo ciclo vital seria o das larvas de seu ancestral, e não o do próprio ancestral adulto. Esse novo animal era algo parecido com o peixe, conforme o conhecemos hoje. Os peixes, portanto, resultaram da pedomorfose dos equinodermos. A pedomorfose por neotenia (juvenilização) nada mais é do que uma regressão que permite à evolução reiniciar em nova direção. Nesse sentido, das larvas das estrelas-do-mar vieram os vertebrados, os mamíferos, os primatas e os hominídeos, incluindo nós, o *Homo sapiens sapiens*.

Enquanto a pedomorfose é responsável por significativas etapas do processo evolutivo, a gerontomorfose é responsável por etapas menores, que consistem na modificação de estruturas adultas já altamente especializadas, dando-lhes somente sobrevida. O termo significa retocar, rever, melhorar, adaptar, para promover sobrevida a um organismo adulto, a um sistema de ideias adultas, porém sempre na mesma direção, conduzindo a becos sem saída; não conduz a novas partidas. Ela não é regenerativa nem provocadora de novidades. Enquanto a evolução biológica, em seus saltos pontuados ou mesmo graduais, apresenta intenso grau pedomórfico, a evolução cultural tem uma tendência recapitulacionista ou gerontomórfica.

Como rejuvenescer evolutivamente, criando caminhos, quando os comportamentos ou características adultas não mais atendem às necessidades do meio ou, então, quando navegamos em rotas críticas?

II - HOMEM, PRIMATA E RETARDADO

"Insanidade é continuar fazendo a mesma coisa e esperar resultados diferentes"

Albert Einstein

A pedomorfose é um dos possíveis caminhos para rejuvenescer evolutivamente. A natureza sempre foi pedomórfica. Ela não constrói a partir da cumeeira de qualquer estrutura orgânica, o que outrora foi uma solução sensata e que, especializada, se tornou frágil. Ela procura remexer lá na fase embrionária, larvar ou mesmo juvenil, redescobrindo características valorosas, que normalmente se apagam no processo de ficar adulto, e mantendo-as na fase adulta de um novo ciclo, promovendo uma direção evolutiva.

Imagem do livro "Renovação Genética ou Extinção", de Cleofas Uchôa
Editora Uniletras, 2001 – Rio de Janeiro – RJ

Tudo indica que o humano procede dos primatas por pedomorfose. A espécie humana se assemelha mais ao embrião de um macaco ou de um chimpanzé recém-nascido do que a um antropoide adulto – como na fotografia dos dois macacos. Mantemos, em nossa fase adulta, características infantis ou mesmo fetais dos macacos. O intervalo de tempo de que necessitamos para passar da infância à juventude, à puberdade, e depois à maturidade é muito mais extenso do que o da maturação de qualquer grande antropoide, ou mesmo de qualquer outro mamífero. Eles já nascem quase prontos. O bebê humano é, assim, uma espécie de feto prematuro, extrauterino, enquanto o homem adulto se assemelha ao antropoide jovem que não se desenvolveu: o cérebro do chimpanzé recém-nascido tem 70% de seu tamanho definitivo, enquanto, no caso do *sapiens sapiens*, o do recém-nascido atinge somente 23%.

É como se tivesse ocorrido um retardamento no aparecimento de certas funções, um atraso no desenvolvimento de certas partes do corpo em relação a outras, por redução do ritmo do relógio biológico. Permanecemos com as características dos bebês primatas e não com as dos primatas adultos. Nossa infância é mais alongada quando comparada com a dos primatas, atrasando a maturidade, como que comprimindo as fases adultas finais dos antepassados; e essa infância prolongada é o que nos permite a transferência de cultura pela educação, que nada mais é do que uma desespecialização da espécie.

O homem é mais evoluído porque é biologicamente mais retardado do que os primatas. É um antropoide retardado, que nasce demasiado cedo. A prolongação da infância permite o desenvolvimento organizacional do cérebro em estreita e complementar relação com os estímulos procedentes do mundo exterior, inclusive os culturais, pois, como vimos, a lentidão do desenvolvimento ontogenético favorece o aprendizado, o desenvolvimento intelectual, a transmissão cultural e a assimilação do aprendido.

O processo que leva o infante sapiens sapiens a aprender a linguagem tem lugar durante o período de plasticidade cultural, que acaba por volta dos sete anos de idade. Isso indica que a complexidade sociocultural tem necessidade absoluta de uma infância prolongada e pressiona em favor de toda a mutação genética que tenda a retardar o desenvolvimento ontogenético do infante. Isso levará cerca de 13 anos para culminar.

Enquanto o antropoide já nasce com pelos, os humanos só desabrocham os seus muito tempo depois de nascidos. Há um retardamento. Outro aspecto neotênico é o crescimento tardio dos dentes e o rosado dos lábios, resultantes de uma sucção prolongada, devido à sua extensa fase de dependência da mãe. O macaco fetal, ou juvenil, possui sua linha de visão perpendicular à coluna vertebral em ângulo quase reto – ângulo este que se modifica no processo de ficar adulto (veja novamente a fotografia dos dois macacos). O *Sapiens sapiens*, entretanto, mantém aquela perpendicularidade na fase adulta (o ângulo reto), ou seja, o processo de mudança daquele ângulo foi desacelerado, retardado. A característica daquela perpendicularidade, existente na fase fetal dos antropoides, mantém-se no adulto humano. Na fotografia apresentada verifica-se que o queixo do jovem macaco não é proeminente e, à medida que vai ficando adulto, o queixo se prolonga visivelmente. Esse prolongamento morfológico do queixo começa a ser notado nos humanos somente no seu estágio de envelhecimento: é retardado entre nós. Mantemos o queixo, em nossa idade adulta, com a mesma anatomia do macaco juvenil.

A soldagem tardia dos ossos da cabeça na espécie humana, o fechamento das suturas entre os ossos de nosso crânio, permite que nosso cérebro continue a crescer depois do nascimento. Nos macacos, o processo de soldagem é muito mais rápido, impedindo o desenvolvimento cerebral pós-natal. Nosso cérebro bulboso é similar ao cérebro do antropoide juvenil. O macaco nasce mais pronto que o homem. Em relação aos símios, continuamos a fase fetal mesmo depois de paridos. O ângulo obtuso entre o canal urogenital e o eixo da espinha dorsal das fêmeas humanas é encontrado no estado embrionário dos macacos recém-nascidos. À medida que o tempo passa, esse ângulo aumenta nos antropoides, fazendo com que a vagina progressivamente se desloque para trás, de tal maneira que a melhor posição de copular entre eles é por trás. Já os bonobos, evolutivamente bem mais próximos de nós, deram início à cópula frontal, pelo retardamento do aumento daquele ângulo.

Os dedos grandes de nossos pés não são oponíveis, como os polegares das mãos o são – que fazem um ângulo reto com os demais dedos. Os dedos grandes dos pés do símio juvenil têm a mesma posição que os nossos. A permanência, por retardamento, da não oponibilidade de nossos dedões dos pés permitiu-nos ficar eretos e andar só com os membros inferiores, sem precisar das mãos, como o fazem os macacos pela oponibilidade dos dedões dos pés. O bipedismo trouxe muitas consequências para o humano, liberando os membros anteriores para outras tarefas que não só aquelas de segurar coisas e ajudar no andar. Resultou também no afrouxamento da face, liberando a caixa craniana das tensões mecânicas que pesavam sobre ela, podendo então inchar e permitir acomodar um cérebro de maior volume. O aumento das dimensões cranianas resultou em um período de gestação mais curto, pois as fêmeas têm limitações físicas do canal genital. Assim, os bebês humanos não podem ficar muito tempo no útero de suas mães. Porém, essa condição de incompletude física, além de deixá-los vulneráveis e muito dependentes, acabou por permitir que o cérebro continuasse a crescer bastante, pouco mais de três vezes, mesmo depois de nascidos, o que não acontece com a totalidade dos mamíferos.

O fato de nascermos mais incompletos que a maioria dos mamíferos nos concedeu uma enorme vantagem, pelo contínuo crescimento do cérebro depois de paridos. Esse movimento do crescimento craniano, associado a uma transformação morfológica da posição da boca e da laringe, também acabou por nos conceder a habilidade de falar, a linguagem, única nos reinos da vida.

Elixir da longa vida: um presente de grego

A juvenilização pedomórfica dos seres humanos possibilitou um prolongamento do período biológico da infância e da adolescência, não permitindo a conclusão das fases adultas ontogênicas dos ancestrais. Em essência, somos macacos neotênicos. No decorrer da velhice, verificam-se transformações morfológicas. Não é só envelhecimento. São metamorfoses estruturais que evidenciam a tese da pedomorfose. Observem como a morfologia da estrutura de um ser humano que atingiu a idade de 90 anos se modifica na direção antropoide. As mulheres, por exemplo, começam a ficar peludas, e os homens, queixudos e orelhudos, com a testa se retraindo, como que girando para trás, o que acontece bem mais cedo nos macacos.

Consequentemente, caso conseguíssemos o elixir da longa vida, aumentando nossa longevidade, prolongando a vida para além do ciclo de nossa existência normal, a nossa anatomia acabaria por se tornar muito semelhante à dos macacos, pois os processos metabólicos estão codificados nos nossos genes. Essas características simiescas encontram-se somente retardadas, não tendo tempo de se manifestar durante o nosso ciclo vital. Com um aumento gerontomórfico de nossa existência, os processos simiescos presentes em nosso genoma irão se materializar, fazendo com que nossa morfologia tenha a aparência de nossos ancestrais adultos.

Os genes que regulam o crescimento e as transformações estruturais do corpo podem atuar em ritmos ligeiramente diferenciados. Por isso, as características simiescas começam a aparecer em diferentes idades da velhice. Conhecemos pessoas com mais de 100 anos em que aspectos de nossos primatas ancestrais levemente se manifestam. Se um ser humano pudesse viver talvez por mil anos ou mais, possivelmente acabaria por se transformar num anfíbio e, depois, num peixe. E assim por diante, até se tornar uma estrela-do-mar.

Somos a fuga do beco sem saída dos antropoides. Nosso ciclo vital não se estrutura pela repetição, com o mesmo ritmo das características dos símios superiores. Somos a evolução de um broto, de uma ramagem antropoide, que preservou, somente por retardamento, as características do feto primata. Nossos ancestrais biológicos possuem muitas características específicas da espécie humana, só que as retêm durante uma fase muito curta de seu desenvolvimento; são apressados. Nós, por outro lado, somos crianças antropoides crescendo tão lentamente que morremos antes que as características primatas, que estão no nosso código genético, apareçam.

Não existe nenhum mamífero que cresça tão devagar quanto o homem e nenhum que atinja o pleno desenvolvimento em tão longo intervalo de tempo desde o nascimento.

Louis Bolk argumentava que, "se quiséssemos expressar o princípio básico de minhas ideias em uma sentença, eu diria que o homem, no seu desenvolvimento corporal, é um feto primata que se tornou sexualmente maduro", da mesma forma como aconteceu com as larvas dos equinodermos.

Pedormorfose nas ideias

Um curioso exemplo de pedomorfose foi apresentado por Stephen Gould, em seu livro The Panda"s Thumb, ao comentar a evolução neotênica do Mickey. O Mickey foi criado há pouco mais de 50 anos. Sua fisionomia foi sendo alterada com o tempo. Aos poucos, suas pernas encurtaram, os braços e as pernas engrossaram, a cabeça tornou-se mais larga, mais abobadada e mais redonda, os olhos aumentaram relativamente ao tamanho da cabeça, e a fisionomia, como um todo, tornou-se mais juvenil. O Mickey foi, neotenicamente, rejuvenescendo.

Nenhuma evolução das ideias é estritamente cumulativa, no sentido de continuar construindo no local em que a geração anterior parou. As grandes guinadas nas artes ocorrem como resultado de uma desesperada luta para escapar das limitações impostas pelo estilo e técnicas convencionais adultas.

Uma nova teoria nunca é construída a partir da cumeeira do edifício da teoria anterior. A nova teoria se ramifica a partir do ponto onde o progresso da anterior se desencaminhou. Ramifica-se a partir de um ponto da juventude da ideia adulta anterior.

Newton adotou as leis da dinâmica de Galileu, mas rejeitou sua astronomia, seu produto acabado. Newton aceitou as leis de Kepler, mas não partiu de sua teoria adulta completa, voltou sobre seus próprios passos até chegar ao ponto em que Kepler, iniciando sua loucura mística adulta, se desencaminhou. Einstein fez o mesmo com Newton. Na biologia, a pedomorfose permite a fuga da especialização. Nas ideias, a pedomorfose promove a fuga da servidão, da escravidão a hábitos mentais. Anular um hábito mental santificado por dogma ou pela tradição exige que se ultrapassem obstáculos intelectuais e emocionais potentes, barreiras inerciais psicológicas poderosíssimas.

O rompimento de estruturas cognitivas, para a remontagem em nova síntese, não pode, de um modo geral, ser efetuado à plena luz da mente consciente e racional. A evolução torna-se possível quando revertemos o processo para formas mais fluidas, mais plásticas, menos comprometidas e menos especializadas, isto é, mais juvenis, mais larvares, que operam nas zonas crepusculares da consciência.

Homo sapiens sapiens

A evolução dos conhecimentos e das ideias segue, portanto, a mesma linha da evolução das espécies, sendo contínua durante o período de consolidação de um salto anterior. Posteriormente, a continuação do processo leva à rigidez crescente das ideias, aos dogmas, aos becos sem saída da especialização e da burocracia. A espécie especializada ou uma teoria consolidada têm sempre poucas potencialidades de desenvolvimento, sendo, por isso, do interesse coletivo cuidar bem delas.

O divã freudiano é um processo pedomórfico. O adulto, comprometido, estagnado e especializado demais, tenta desesperadamente encontrar as características juvenis ou mesmo embrionárias de sua mente, em busca de nova direção. Trata-se do regresso a fases anteriores, quando se procura o momento em que o processo mental se desencaminhou, para permitir uma nova atitude, incompatibilizada com a servidão a hábitos congelados da fase adulta, que sufocam e impedem a fecundidade.

É doloroso abandonar hábitos estereotipados, mas é um processo de alegria a fuga para o rejuvenescimento.

Portanto, o nosso objetivo não deve ser a descoberta, pela ciência, do elixir da longa vida. Nosso código genético contém a programação que nos levaria de volta para antropoides, anfíbios e peixes. O sucesso da pesquisa científica atual não se encontra na descoberta de mecanismos que prolonguem nossa existência, mas, sim, no descobrimento de como retardar a nossa fase juvenil ou mesmo fetal, para um novo surto criativo da espécie ou mesmo do gênero. O progresso no entendimento da codificação do genoma nos permitirá uma interferência no código genético para estruturarmos um novo salto evolutivo. Precisamos tomar cuidado com os adultos.

III - A SALVAÇÃO

"Ninguém pode voltar atrás e fazer um novo começo.
Mas qualquer um pode começar de novo e fazer um
novo fim."

Chico Xavier

A pedomorfose se aplica não apenas às estruturas biológicas, produzindo um novo rumo, mas também ao desenvolvimento das estruturas sociais e empresariais e ao desenvolvimento da psique individual e grupal. Tudo se encontra aguardando um salto pedomórfico.

Nos séculos anteriores, construímos catedrais magníficas, teorias intrincadas e espaçonaves avançadíssimas. Contudo, também realizamos, patologicamente, guerras sanguinárias e causamos enormes estragos ao meio ambiente. A nossa vida tornou-se tão complicada que mal conseguimos perceber os perigos da manutenção dos nossos paradigmas envelhecidos, que estão nos provocando tantos temores e promovendo aflição, angústia, depressão, tédio, destruição e violência. É assustadora a condição humana de promover, ciclicamente, guerras religiosas, patrióticas e ideológicas. Que bicho estranho é esse que tem especial magnetismo pelas tragédias?

Entre nossas especiais qualidades, existem algumas que aterrorizam e confundem nossa existência divina: a propensão em nos matarmos, em nos odiarmos, em nos destruirmos, aniquilando o ambiente que nos suporta, sem a menor preocupação ou mesmo cerimônia. Matamos coisas vivas por divertimento, ódio, amor, gozo, vaidade e gula ou por abstrações autotranscendentes como, por exemplo, a religião e a pátria. Destruímos estruturas vivas, complexas, que levaram

Homo sapiens sapiens

bilhões de anos para se formarem, esquecendo-nos de que cada vida aniquilada, cada potencialidade assassinada, jamais poderá ser substituída. Esquecemo-nos, devido ao ingênuo e colegial antropocentrismo, que nos atomizou geométrica e juridicamente no Universo, de que somos, efetivamente, uma unidade com tudo que nos rodeia. Somos parte de uma síntese.

Mais do que indivíduos, somos de fato uma relação.

Somos um tecido de uma só peça, uma mesma figura, como diziam Teilhard de Chardin e Fritjof Capra. Deveremos começar a perceber que, verdadeiramente, somos um padrão de relações que terminará por motivar comportamentos mais importantes do que aqueles resultantes do conceito de indivíduo.

Por que continuarmos com tanto desrespeito a tão grandioso esforço realizado até então? A palavra "Eu", o ego, leva-nos a imaginar que somos separados, unidades distintas, abandonando, assim, o conceito maior da união íntima em troca de um mundo fragmentado. Precisamos reatar nossa amizade, união e lealdade à espécie, à Terra e ao Universo, mesmo porque tudo nada mais é do que uma coisa só? Precisamos recuar para resgatar e reexecutar, por pedomorfose, o código cósmico de amorização, partindo para um novo êxtase, em direção ao ultra-humano.

Temos uma dívida enorme para com o passado, que nos deixou, com grande esforço e sofrimento, um espólio valiosíssimo, tornando-nos riquíssimos de cultura e de civilização. Porém, o que estamos a constatar é que, na construção e administração desse espólio grandioso, a vida foi entremeada de destruições impiedosas, apesar do esforço das religiões unificadoras. Com nosso código genético, que difere somente em cerca de 2% do código dos chimpanzés, não existe a menor chance de continuarmos a evolução, pois estamos incapacitados biologicamente para aceitar, de fato, as regras morais propostas pelas grandes religiões. A mistura homem-macaco, com predominância de características deste último, nos coloca em uma prisão evolutiva, face a face com um beco sem saída.

Há muito tempo interferimos no processo evolutivo, nos processos da natureza, desempenhando o papel da seleção natural. Na agricultura e na manutenção e prolongamento de algumas espécies que, naturalmente, já poderiam estar extintas – como cavalos, cachorros e alguns legumes – temos tido absoluto sucesso. Todos acham isso maravilhoso! Ao empreender alterações no genoma, estamos somente continuando a refinar o processo de interferência na natureza que, como já nos referimos, delegou-nos tal tarefa. Alguns, desavisadamente, denominam esses processos de artificiais, interferência aparentemente indevida. Mas, de fato, o artificial nada mais é do que o natural hominizado.

Estamos realizando, progressivamente, mutações adaptativas em nossa fisiologia, com o auxílio de inúmeras drogas, tentando melhorar nosso destino. É esse o caminho que, há muitos séculos, estamos traçando. Mexer no genoma não é nenhuma novidade, nenhum crime ético ou pecado aos olhos de Deus. Temos que fornecer à natureza os remédios corretivos de nossas imperfeições, para corrigir com nossa mente, nosso cérebro e nosso meme, as doenças de nosso sistema nervoso, que transformou a espécie humana em torturada, sofrida e atrapalhada. E o fazemos por incumbência, por delegação da própria natureza, que nos criou com a capacidade para tal. Talvez, isso até seja uma missão evolutiva.

Quando eliminarmos o conceito de nações, que nada mais é do que altruísmo para dentro e egoísmo para fora, estaremos empreendendo um salto pedomórfico, pois a natureza não o criou. Nação é invenção egoísta primata. Quando eliminarmos essa tendência ancestral e percebermos a vantagem do estabelecimento do paradigma da relação simbiótica, adquiriremos

Homo sapiens sapiens

a potencialidade de uma renovação humana. O nosso desafio encontra-se na percepção de uma nova relação com o todo, por meio da qual possamos nos curar da esquizofisiologia inerente à natureza humana, libertando-nos da situação patética em que nos encontramos. Hegel disse: "Os povos e os governos nunca aprenderam nada da história nem agiram segundo princípios dela deduzidos".

Onde estarão as potencialidades, as características juvenis de nossa cultura, que ficaram inibidas no processo de amadurecimento? Ocorreu algum desvio, algum desencaminhamento? Será que estamos no ponto de um reculer pour mieux sauter? Estaremos no momento da anulação para reexecução? Atingimos o ponto crítico, ao observarmos tantas revoluções, guerras, assassinatos, roubos e desmoronamentos de todos os tipos, para possível retorno, para partirmos em nova direção, a uma nova bifurcação? Estaremos nas franjas de becos sem saída? Será que já não é tempo de nos dedicarmos, um pouco que seja, a observar nossos aspectos patológicos, partidários, que poderão ser corrigidos se nos desligarmos um pouco dos anseios do curto prazo e de nossas tendências autotranscendentes?

Necessitamos de uma pedomorfose, realizar o pulo do gato, para reparar o erro de nossa construção, adaptando-nos, desse modo, à nova ordem planetária. Necessitamos de uma mutação adaptativa provocada e artificialmente estimulada, para evitar a catástrofe iminente.

Recuar para reexecutar

A nova ordem é recuar e verificar quais características de nossa fase de infância e adolescência foram inibidas e deformadas no decorrer do tempo. A sinceridade, a curiosidade, a ética, a estética, a transparência, a singeleza, o amor, a ingenuidade, a confiança, a esperança, a conexão, a solidariedade, a sacralidade, a caridade, a bondade, a fé, a ludicidade e a amizade, por exemplo, são características muito marcantes de nossa fase de infância e adolescência, que se atrofiaram no processo de tornar-se adulto. Deu-se ênfase a outras matizes mentais, como materialismo, banalidade, futilidade, usura, individualismo, egoísmo, determinismo, objetivismo, luxúria, ganância, inveja, mentira e dependência de drogas – características que estão contagiando as categorias humanas adultas.

Tudo se tornará grave e irreversível quando todas as insanidades que nos atormentam contaminarem, de forma generalizada, as lideranças sociais, de todas as bandeiras, de todos os credos e políticas, transformando-as em robôs terroristas da natureza. Aí, seremos eliminados e jogados na lata de lixo da evolução, como de costume.

É oportuno recordar que, com uma equivocada interpretação do darwinismo, o homem se encantou demasiadamente com os aspectos competitivos, expansionistas e dominadores, esquecendo-se de que a natureza evoluiu essencialmente através da cooperação (simbiose) e da solidariedade, valendo-se da flexibilidade e da diversidade para evoluir.

Uma pedomorfose poderia salvar-nos, como insistentemente faz a própria natureza, há muito e muito tempo. Andamos muito apressados para coisa alguma. Todos açodados, como se estivéssemos vivendo no planeta dos agitados. A consequência é um reculer sans sauter. "Se a evolução humana continuar ao longo das mesmas linhas do passado" – como disse J. B. S. Haldane – "resultando num progressivo prolongamento da infância, as características anatômicas do atual homem adulto serão perdidas". Talvez seja a nossa esperança! Alterado seu processo somático e morfológico no futuro, pedomorficamente, a maturidade do homem será tão retardada que nos transformaremos em um bebezão, um ser tão retardado que manterá, em sua fase adulta, as características do feto humano. A infância se prolongará por muitos anos, pois nasceremos como um feto inicial, o que nos dará tempo suficiente para melhor aprender o mundo.

Homo sapiens sapiens

George Williams comenta, em O brilho do peixe-pônei, que o processo biológico, além de ser mais perverso, é profundamente estúpido. Torna-se necessário um esforço inteligente, por intenso uso de nosso meme, para contornar o mal de um inimigo implacável, tão irracional e egoísta, que é o nosso gene. Cita Thomas Huxley: "Em virtude de sua inteligência, o anão faz o titã se curvar diante de sua vontade". Cita também Richard Dawkins, quando disse que poderemos ainda nos rebelar com sucesso contra a tirania de nossos genes, os replicadores egoístas.

A salvação: o bebezão *Sapiens Pedomorfensis*

Com essa nova pedomorfose, aparecerá uma nova linhagem, o Homo sapiens pedomorfensis, que substituirá o sapiens sapiens. Talvez de maneira semelhante àquela como substituímos, por extinção, o Homo sapiens neanderthalensis – menos neotônico que o sapiens sapiens, mas que possuía um cérebro 10% maior que o nosso. A natureza vem fazendo uso dessa estratégia de substituições permanentes há muitos milhões de anos, de forma acelerada. O sapiens sapiens, em menos de 150 mil anos, já percebeu que tem que ser substituído. Por que estancaria agora?

A crença da nossa estabilização física e mental foi fixada, de certa forma, em nosso cérebro, pela dificuldade que temos em presenciar e constatar as naturais e ordinárias transformações cósmicas, geológicas e biológicas, que possuem ritmos muito lentos, quando comparadas aos da própria civilização humana. Por isso, temos horror às mudanças, principalmente as mais acentuadas. Estamos acostumados a imaginar que as montanhas, os oceanos, as estações, os continentes, as estrelas são fenômenos estáveis e eternos. Hoje, já percebemos que não é assim.

> Tudo é instável e temporário, inclusive nós,
> criados, prepotentemente, à imagem e semelhança de Deus.

Os paradigmas vigentes devem se alterar pelo natural uso das estratégias evolutivas que atuam, constantemente, rejuvenescendo as formas, as estruturas e os comportamentos. Com novos paradigmas, partiremos em outro rumo, com mais juventude, mais plasticidade e mais esperança no fenômeno, evitando nossa transformação em macacos velhacos adultos, deformados pela rigidez de hábitos inúteis. A consciência decresce em proporção à formação de hábitos e paixões, pois hábito e paixão são inimigos da liberdade e da evolução.

Sem a percepção da necessidade de transformações estruturais, no corpo e na mente (no hardware e no software), exigidas pelos vagarosos e inexoráveis movimentos da própria natureza – aliás, muitas vezes catastróficos –, acabaremos cedo demais, como todas as espécies que não puderam perceber a tempo o momento de iniciar um novo rumo interior do fenômeno.

Entretanto, se desejamos participar do processo evolutivo, deveremos utilizar a artimanha neotênica para descobrirmos novas soluções, abrandando, gradativamente, por exemplo, a hipertrofia da competitividade suicida e a propensão para ilusões ad majorem Dei Gloriam, que estão a tudo devastar, até corroendo nossos espíritos. A estratégia neotênica já começou em nossa civilização quando, culturalmente, impediu que as crianças trabalhassem como adultos. Soubemos tratar, com sabedoria, a retardação da infância por muitos anos. Estamos a caminho de uma nova pedomorfose. Com a gerontomorfose humana, que nos dará mais alguns anos de vida saudável, devemos prolongar ainda mais a fase de infância e puberdade

Homo sapiens sapiens

dos seres humanos. Os jovens do futuro próximo só começarão a trabalhar depois dos 50 anos de vida. Estaremos realizando uma pedomorfose cultural preliminar, pedomorfose no software, antes de a realizarmos no hardware, quando teremos de mexer no genoma. O prolongamento da vida por técnicas gerontomórficas tem seu limite.

Não se trata de crescermos ou de termos progresso simplesmente. Trata-se, essencialmente, de uma imprescindível metamorfose estrutural holística, tendo em mente, entretanto, que uma quantidade moderada de individualismo ainda resulta em progresso sociocultural. Fomos sempre ensinados quanto à nossa efemeridade individual, mas tomamos a sobrevivência da espécie como coisa garantida. Agora, parece que a situação se alterou.

Passamos a perceber que as espécies são transitórias e a espécie humana não se constitui em nenhuma exceção. Também é efêmera.

Teremos a excepcional oportunidade de, modificados estruturalmente por nosso cérebro, nos transformarmos no Super-Homem de Nietzsche, no Ultra-Humano de Teilhard de Chardin e, por fim, no Bebezão Pedomórfico (no Bebezão sapiens pedomorfensis), para a era da consolidação da nova emergência da consciência. Deveremos usar nosso cérebro, ainda que limitado ou deformado, para curar suas próprias deficiências. Por fim, nos distanciaremos mais ainda dos primatas, da mesma forma estes foram se distanciando, por pedomorfoses sucessivas, das formas adultas dos prssímios, seus ancestrais.

A pedomorfose intencional, artificial – e, por isso, natural –, nos apresenta uma nova perspectiva de esperança no fenômeno humano. A neotenia já começou, sorrateiramente, instaurando um novo primeiro tempo de emergência, para ordem, equilíbrio e complexidade renovada das estruturas. Um outro surto pedomórfico se avizinha, evitando, assim, que nosso planeta fique melhor sem nós, evitando um reculer sans sauter.

Para Bourguignon, o homem é um animal que escapou por muito tempo da evolução: "Só o homem moderno, que já conta com cerca de 100 mil anos de existência, enraizado nos níveis físico, químico e biológico da matéria, escapou até o momento à evolução, da qual sem dúvida é o termo. Em contrapartida, graças à linguagem, a novidade mais radical em 4 bilhões de anos, tornou-se, no plano do espírito, o agente de sua própria evolução."

Para Koestler, a natureza nos falhou: "Deus parece haver deixado o fone fora do gancho, e o tempo está correndo. Esperar que a salvação seja sintetizada num laboratório pode parecer materialista, maluco ou ingênuo, mas, para falar a verdade, há nisso um traço junguiano, pois reflete o antigo sonho do alquimista, de engendrar o elixir vitae. O que esperamos, porém, não é a vida eterna, nem a transformação do metal vil em ouro, mas a transformação do Homo maniacus (travestido de sapiens sapiens) no (verdadeiro) Homo sapiens (sapiens). Quando o homem decidir tomar o destino em suas próprias mãos haverá esperança, caso contrário, poderemos ser extintos! Essa possibilidade estará dentro do seu alcance."

Agora vai, *Homo sapiens sapiens*! Dê o pulo do gato. Regresse às origens. Recue para saltar. Dê um salto pedomórfico, interferindo, intencionalmente, com entendimento, coragem e otimismo, no genoma, não para fazer a idiotice da clonagem – etapa, porém, inicial do conhecimento –, mas para criar, neotenicamente, uma nova espécie, o Bebezão sapiens pedomorfensis, um novo adulto, uma nova espécie com cara e características do bebê humano. Da mesma maneira como a natureza nos inventou, com certa irresponsabilidade e por acaso, ao alterar o cromossoma do primata fundindo outros

Homo sapiens sapiens

dois, crie uma espécie pedomórfica para um novo futuro, como a natureza sempre construiu. Só que, dessa vez, por nosso próprio intermédio, já que a natureza nos delegou a responsabilidade da evolução.

A passagem de *Homo sapiens sapiens*, para a linhagem do Super homem e, depois, para Ultra-Humano, abre o caminho para a linhagem que podemos vislumbrar: o Bebezão, a última espécie com estrutura mista (orgânica e inorgânica).

Durante esse período estaremos, em paralelo, desenvolvendo as "Estruturas Inorgânicas Superinteligentes e Autoconscientes" (EISIAC) que poderão conviver com algumas linhagens Sapiens. As linhagens Sapiens continuarão por muito tempo cuidando da Terra sob orientação da espécie mais evoluída, o Bebezão. A nova estrutura EISIAC se ocupará essencialmente com as estruturas do Espaço Sideral. É o que podemos, por enquanto, vislumbrar se ultrapassarmos a sexta extinção em massa, decorrente do total colapso ecológico.

REFERÊNCIAS

ABBOT, E. A. *Flatland*: a romance of many dimensions. Cambridge: Perseus, 1899.

ANGELA, Piero; ANGELA, Alberto. *The Extraordinay Story os Human Origins*. Nova York: Prometheus Book, 1993.

ASSIS, José Carlos. *A razão de Deus*. Rio de Janeiro: Civilização Brasileira, 2012.

AXELROD, R. *The evolution of cooperation*. Nova York: Basic Books, 1984.

AYDON, Cyril. *A história do homem*. Rio de Janeiro: Record, 2011.

BALLANDIER, George. *A desordem*: elogio do movimento. Rio de Janeiro: Bertand Russel, 1997.

BARROS, Marcelo; BETTO, Frei. *O amor fecundando o universo*: ecologia e espiritualidade. Rio de Janeiro: Agir, 2009.

BARROW, John. *Teorias de tudo*. Rio de Janeiro: Zahar, 1994.

BARROW, John; TIPLER, Frank. *The antropic cosmological principle*. Nova York: Oxford University Press, 1986.

BENTON, Michael J. *The history of life*: a very short introduction. Nova York: Oxford University Press, 2008.

BERRYM, A. *A short history of astronomy*. Nova York: Dover Publication, 1961.

BETTO, Frei. *A obra do artista – uma visão holística do universo*. São Paulo: Editora Ática, 1997.

BETTO, Frei; GLEISER, Marcelo. *Conversa sobre a fé e a ciência com Waldemar Falcão*. Rio de Janeiro: Agir, 2011.

BÍBLIASAGRADA: antigo testamento. São Paulo: Encyclopedia Britânica Publishers, 1986.

BONDI, H. *Cosmology*. Cambridge UK: University Press, 1960.

BRONOWSKI, J. *Magic, science and civilization*. Nova York: Columbia University Press, 1973.

BRONOWSKI, J. *The common sense of science*. Cambridge: Harvard University Press, 1978a.

BRONOWSKI, J. *The origin of knowledge and imagination*. New Haven: Yale University Press, 1978b.

CAIRNS-SMITH, A. G. *Seven clues to the origin of life*. Cambridge: Cambridge University Press, 1985.

CAMPBELL, Joseph. *The mask of god: criative mythology*. Nova York: Penguin Books, 1976a.

Homo sapiens sapiens

237

CAMPBELL, Joseph. *The masks of god: primitive mythology*. Nova York: Penguin Books, 1976b.

CAMPBELL, Joseph. *The power of myth*. Nova York: Doubleday, 1988.

CAPRA, Fritjof . *A sabedoria incomum*. São Paulo: Cultrix, 1988.

CAPRA, Fritjof. *A teia da vida*. São Paulo: Cultrix, 1996.

CAPRA, Fritjof. *A Visão Sistêmica da Vida. Cultrix, 2014*

CAPRA, Fritjof. *Belonging to the universe*. Nova York: Harper Collins Publishers, 1991.

CAPRA, Fritjof. *O ponto de mutação*. São Paulo: Cultrix, 1982.

CAPRA, Fritjof. *The Tao of physics*. LondresLondres: Fontana, 1976.

CARROL, Lewis. *Alice"s adventures in wonderland and through the looking glass*. Nova York: Signet Classics, 2000.

CARROL, Sean. *From eternity to here: the quest for the ultimate theory of time*. Harmondsworld: Plume Book-Penguin Books, 2010.

CASTI, John. *O colapso de tudo*. Rio de Janeiro: Intrínseca, 2012.

CHARDIN, Pierre Teilhard de. *La Activación de la energia*. Madri: Taurus Ediciones, 1967a.

CHARDIN, Pierre Teilhard de. *La aparición del hombre*. Madri: Taurus Ediciones, 1967b.

CHARDIN, Pierre Teilhard de. *O fenômeno humano*. São Paulo: Editora Cultrix, 1994.

CHARDIN, Pierre Teilhard de. *O lugar do homem no universo*. Lisboa: Editorial Presença, 1958.

CHERMAN, Alexandre; VIEIRA, Fernando. *O tempo que o tempo tem*. Rio de Janeiro: Zahar, 2008.

CHOMSKY, Noam. *Quem Manda no Mundo*. São Paulo: Editora Planeta do Brasil, 2017.

CHOMSKY, Noam.*Que Tipo de Criaturas Somos Nós*. Petrópolis: Editora Vozes, 2018.

CONNOR, James A. *A bruxa de Kepler*. Rio de Janeiro: Rocco, 2005.

CONVEY, Peter; HIGHFIELD, Roger. *A flecha do tempo*. São Paulo: Siciliano, 1993.

COSTA, Rebecca. *Superando supermemes*. São Paulo: Cultrix, 2012.

CRICK, Francis. *Life itself*: its origin and nature. Nova York: Simon and Shuster, 1981.

DAMPIER, William Cecil. *Historia de la ciencia y sus relaciones con la filosofía y la Religión*. Madrid: Editorial Tecnos, 1986.

DARWIN, Charles. *On the origin of species by means of natural selection*. Londres: John Murray, 1859.

DARWIN, Charles. *The descent of man and selection in relation to sex*. Nova York: Appleton, 1871.

DAVIES, Paul. *A mente de Deus*. Rio de Janeiro: Ediouro, 1994.

DAVIES, Paul. *Cómo construir una máquina del tiempo*. Madri: 451 Editores, 2008.

DAVIES, Paul. *O enigma do tempo: a revolução iniciada por Einstein*. Rio de Janeiro: Ediouro, 1999.

DAVIES, Paul. *O jackpot cósmico: por que é o nosso universo mesmo bom para a vida*. Lisboa: Gradiva, 2009.

DAVIES, Paul. *Superforce: the search of a grand unified theory of nature*. Nova York: Simom & Schuster, 1984.

DAVIES, Paul. *The forces of nature*. Cambridge: Cambridge University Press, 1979.

DAVIES, Paul. *The last three minutes: conjectures about the ultimate fate of the universe*. Nova York: Basic Books, 1997.

DAVIES, Paul. *The physics of time assimetry*. Berkeley; Los Angeles: University California Press, 1974.

DAVIES, Paul. *The runaway universe*. Harmondsworld: Penguin Books, 1978.

DAWKINS, Richard. *A grande história da evolução*. São Paulo: Cia. das Letras, 2009.

DAWKINS, Richard. *Ciência na Alma*. São Paulo: Cia. das Letras, 2016.

DAWKINS, Richard. *Deus, um delírio*. São Paulo: Cia. das Letras, 2007.

DAWKINS, Richard. *O gene egoísta*. São Paulo: Cia. das Letras, 1989.

DAWKINS, Richard. *O maior espetáculo da terra*. São Paulo: Cia. das Letras, 2009.

DAWKINS, Richard. *O rio que saia do Éden*. Rio de Janeiro: Rocco, 2006.

DAWKINS, Richard. *The blind watchmaker*. Harlow: Longman, 1986.

DAWKINS, Richard. *The extended phenotype*. Oxford: Oxford University Press, 1982.

DE DUVE, Christian. *Poeira vital*. Rio de Janeiro: Campus, 1997.

DENNET, Daniel. *A perigosa ideia de Darwin*. Rio de Janeiro: Rocco, 1998.

DENNET, Daniel. *Breaking the spell*. Nova York: Penguin Books, 2006.217

DIAMOND, Jared. *Collapse: how societies choose to fail or succeed*. Nova York: Vinking Penguin, 2005.

DIAMOND, Jared. *Guns, germs and steel: the fate of human societies*. Nova York: Norton, 1997.

DIAMOND, Jared. *The rise and fall of the third chimpanzee*. Londres: Vintage-Landom House, 1992.

Homo sapiens sapiens

DYSON, Freeman. *Disturbing the universe*. Nova York: Harper and Row, 1979.

DYSON, Freeman. *El científico rebelde*. Buenos Aires: Editorial Sudamerica, 2008.

DYSON, Freeman. *Infinito em todas as direções*. São Paulo: Best Seller, 1988.

DYSON, Freeman. *Mundos imaginados*. São Paulo: Cia. das Letras, 1998.

DYSON, Freeman. *O sol, o genoma e a internet*. São Paulo: Cia. das Letras, 2001.

EDDINGTON, Arthur S. *The nature of physical world*. Nova York: Macmillan, 1928.

EINSTEIN, Albert. *The world as I see it*. New Jersey: Seacaucus, 1979.

EISELEY, Loren. *The immense journey*. Nova York: Vintage Book, 1957.

ELIADE, Mircea. *História das crenças e das ideias religiosas: da Idade da Pedra aos Mistérios de Elêusis*. Rio de Janeiro: Zahar, 1983.

ELIADE, Mircea. *Mito e realidade*. São Paulo: Perspectiva, 1986.

ELIADE, Mircea. *The myth of the eternal return*. Princeton: Princeton University Press, 1971.

FALK, Dan. *In search of time: the history, physics, and philosophy of time*. Nova York: Martin Press, 2008.218

FERRIS, Timothy. *O despertar da via láctea: uma história da astronomia*. Rio de Janeiro: Campus, 1990.

FERRY, Luc. *A revolução do amor: por uma espiritualidade laica*. Rio de Janeiro: Objetiva, 2012.

FERRY, Luc. *Aprender a viver: filosofia para os novos tempos*. Rio de Janeiro: Objetiva, 2010.

FEYMAN, Richard. *QED*. Princeton: Princeton University Press, 1985.

FEYMAN, Richard. *The character of physical law*. Cambridge: MIT Press, 1967.

GALILEI, Galileu. *Dialogues concerning two new sciences*. Chicago: Univesity Press of Chicago, 1952.

GALILEI, Galileu. *The sideral messenger*. Londres: Dawsons of Pall Mall, 1959.

GAMOW, George. *One, two, three... infinity*. Nova York: Viking Press, 1947.

GAMOW, George. *The creation of the universe*. Nova York: Viking Press, 1952.

GELL-MAN, Murray. *The quark and the jaguar*. Nova York: W.H. Freeman, 1994.

GLEISER, Marcelo. *A dança do universo*. São Paulo: Cia. das Letras, 1997.

GLEISER, Marcelo. *Criação imperfeita: cosmo, vida e código oculto da natureza*. São Paulo: Record, 2010.

GLEISER, Marcelo. *O fim da terra e do céu*. São Paulo: Cia das Letras, 2001.

GLEISER, Marcelo. *Poeira das estrelas*. São Paulo: Ed. Globo, 2006.

GLEISER, Marcelo. *Retalhos Cósmicos*. São Paulo: Cia. das Letras, 1999.

GOLD, T. *The nature of time*. Nova York: Cornell University Press, 1967.

GORE, Al. *Uma Verdade Inconveniente*. São Paulo: Editora Manole, 2006.

GOSWAMI, Amit. *O universo autoconsciente*. Rio de Janeiro: Rosa dos Tempos, 1998.

GOULD, Stephan Jay. *Time's arrow, time's cycle*. Cambridge: Harvard University Press, 1988.

GOULD, Stephan Jay. *Ever since Darwin: reflection in natural history*. Nova York: Norton, 1977.

GOULD, Stephen Jay. *The panda's thumb: more reflections in natural history*. Nova York: Norton, 1980.

GOULD, Stephen Jay. *A falsa medida do homem*. São Paulo: Martins Fontes, 1996.

GOULD, Stephen Jay. *Ontogeny and phylogeny*. Cambridge: Harvard University Press, 1997.

GREENBLATT, Stephen. *A virada: o nascimento do mundo moderno*. São Paulo: Cia. das Letras, 2012.

GREENE, Brian. *A realidade oculta: universos paralelos e as leis profundas do cosmo*. São Paulo: Cia. das Letras, 2012.

GREENE, Brian. *O tecido do cosmo*. São Paulo: Cia. das Letras, 2005.

GRIBBIN, John. *Timewarps*. Nova York: Delacorte, 1979.

GRIBBIN, John. *In search of a multiverse*. New Jersey: J. Wiley and Sons, 2009.

GRIBBIN, John. *Schrödinger's kittens: and the search of reality*. Phoenix: Little Brown, 1996.

GRUNING, Herb. *Deus e a nova metafísica: um diálogo aberto entre ciência e a religião*. São Paulo: Aleph, 2007.

GUITTON, Jean. *Deus e a ciência*. Rio de Janeiro: Nova Fronteira, 1992.220

GUTH, Alan. *The inflationary universe*. Massachusetts: Addison-Wesley, 1997.

HARARI, Yulval Noah. *Uma breve história da humanidade*. Porto Alegre: Editora L&PM, 2015.

HARARI, Yulval Noah. *Homo Deus*. São Paulo: Cia. das Letras, 2016.

HARARI, Yulval Noah. *21 Lições para o século 21*. São Paulo: Cia. das Letras, 2018.

HARRISON, Edward. *Cosmology: the science of the universe*. Cambridge: Cambridge University Press, 2000.

HARRISON, Edward. *Darkness at night: a riddle of the universe*. Cambridge: Harvard University Press, 1987.

HARRISON, Edward. *Masks of the universe*. Nova York: Cambridge University Press, 1985.

HAWKING, Stephen. *Breves Respostas para grandes questões*. Rio de Janeiro: Editora Intrínseca, 2018.

HAWKING, Stephen. *O universo numa casca de noz*. Rio de Janeiro: Nova Fronteira, 2009.

HAWKING, Stephen. *Uma breve história do tempo*. Rio de Janeiro: Rocco, 2002.

HAWKING, Stephen; MLODINOW, Leonard. *O grande projeto: novas respostas para as questões da vida*. Rio de Janeiro: Nova Fronteira, 2010.

HAWKING, Stephen; MLODINOW, Leonard. *Uma nova história do tempo*. São Paulo: Ediouro, 2005.

HOYLE, Fred. *From Stonehenge to modern cosmology*. São Francisco: Freeman, 1972.

HOYLE, Fred. *Ten faces of the universe*. São Francisco: Freeman, 1977.

HOYLE, Fred. *The nature of the universe*. Nova York: Harper. 1960.

KAKU, Michio. *A física do futuro: como a ciência moldará o destino humano e nosso cotidiano em 2100*. Rio de Janeiro: Rocco, 2012.

KAKU, Michio. *Hyperespaço: uma odisseia científica através de universos paralelos, empenamentos do tempo e a décima dimensão*. Rio de Janeiro: Rocco, 2000.

KAKU, Michio. *Visões do futuro*. Rio de Janeiro: Ed. Rocco, 2001.

KAUFMAN, William. *The cosmic frontiers of general relativity*. Boston: Little Brown and Co., 1977.

KEPLER, Johans. *The harmonics of the world*. Chicago: Chicago University Press, 1975.

KLEIN, Étienne. *O tempo: de Galileu a Eisntein*. Lisboa: Caledoscópio, 2007.

KOESTLER, Arthur. *O fantasma da máquina*. Rio de Janeiro: Zahar, 1969.

KOESTLER, Arthur. *The sleepwalkers*. Londres: Hutchinson, 1959.

KOYRÉ, Alexander. *Estudos da história do pensamento científico*. Rio de Janeiro: Forense Universitária, 1982.

KOYRÉ, Alexander. *From the closed world to the infinite universe*. Nova York: Harper and Row, 1958.

KOYRÉ, Alexander. *The astronomical revolution*. Nova York: Cornell University Press, 1973.

KRAUSS, Lawrence M. *A universe from nothing*. Nova York: Free Press, 2012.

KUHN, Thomas S. *The copernican revolution: planetary astronomy in the development of western thought*. Cambridge: Harvard University Press, 1979.

KUHN, Thomas S. *The structure of scientific revolution*. Chicago: University of Chicago Press, 1970.

LASZLO, Ervin. *O ponto do caos*. Cultrix: São Paulo, 2011.

LASZLO, Ervin. *Um salto quântico no cérebro global*. São Paulo: Cultrix, 2012.

LESTIENNE, Rémy. *O acaso criador: o poder criativo do acaso*. São Paulo: Unesp, 2008.

LÉVY, Pierre. *A conexão planetária*. São Paulo: Ed. 34, 2001.

LIPOVETSKY, Gilles; CHARLES, Sebastien. *Os tempos hipermodernos*. São Paulo: Barcarolla, 2004.

LORENZ, K. Z. *On agression*. Londres: Metuhen, 1966.

LOVELOCK, James. *A vingança de Gaia*. Rio de Janeiro: Intrínseca, 2006.

LOVELOCK, James. *Gaia*. Oxford: Oxford University Press, 1979.

LURIA, S. E. *Life: The unfinished experiment*. Londres: Souvenir Press, 1973.

MARGULIS, Lynn. *O que é a vida?* Rio de Janeiro: Zahar, 2002.

MARGULIS, Lynn. *Symbiosis in cell evolution*. San Francisco: H. W. Freeman, 1981.

MARSHALL, Perry. *Evolution. 2.0*. Texas: Benbella Books, 2015.

MAYNARD Smith, J. *Evolution and the theory of games*. Cambridge: Cambridge University Press, 1982.

MAYR, Ernst. *Isto é biologia*. São Paulo: Cia das Letras, 2008.

MAYR, Ernst. *O que é evolução*. Rio de Janeiro: Rocco, 2009.

MAYR, Ernst. *The growth of biological thought*. Cambridge: Harvard University Press, 1982.

MAYR, Ernst. *What makes biology unique?* Cambridge: Cambridge University Press, 2004.

MICHIO, Kaku. *The Future of the Mind*. Nova Iorque: Random House, 2014.

MLODINOW, Leonard. *De Primatas a Astronautas*. Rio de Janeiro: Jorge Zahar Editor, 2015.

MLODINOW, Leonard. *Elástico*. Rio de Janeiro: Jorge Zahar Editor, 2018.

MONTAGU, A. *The nature of human aggression*. Oxford: Oxford University Press, 1976.

MORIN, Edgar. *A cabeça bem-feita*. Rio de Janeiro: Bertrand Brasil, 2000.223

MORIN, Edgar. *A inteligência da complexidade*. São Paulo: Fundação Petrópolis, 1999.

MORIN, Edgar. *A religação dos saberes: o desafio do século XXI*. Rio de Janeiro: Bertrand Brasil, 2010.

MORIN, Edgar. *A via para o futuro da humanidade*. Rio de Janeiro: Bertrand Brasil, 2011.

MORIN, Edgar. *Ciência com consciência*. Rio de Janeiro: Bertrand Russel, 1999.

MORIN, Edgar. *El paradigma perdido*. 5 ed. Barcelona: Kairós, 1996.

MORIN, Edgar. *Introdução ao pensamento complexo*. 4 ed. Porto Alegre: Sulina, 2005.

MORIN, Edgar. *O método 5: a humanidade da humanidade*. Porto Alegre: Sulina, 2007.

MORIN, Edgar. *O método 1: a natureza da natureza*. Porto Alegre: Sulina, 2008.

MUNITZ, M.K. *Theories of the universe: from Babylonian myth to modern science*. Nova York: Free Press, 1957.

MURDIN, Paul. *Are we being Watched?* Londres: Thames&Hudson, 2013.

NOVELLO, Mario. *Do Big Bang ao universo eterno*. Rio de Janeiro. Zahar, 2010

NOVELLO, Mario. *Máquina do tempo: um olhar científico*. Rio de Janeiro: Zahar, 2005.

NOVELLO, Mario. *O círculo do tempo*. Rio de Janeiro: Campus, 1997.

PAGELS, Heinz R. *Perfect symmetry: the search for the beginning of time*. Nova York: Bantam Books, 1986.

PAGELS, Heinz R. *The cosmic code: quantum physics as the language of nature*. Nova York: Bantam Books, 1983.

PAPP, Desiderio. *História de la ciência en el siglo XX*. Chile: Editora Universitaria, 1983.

PAUL, Davis. *O Quinto Milagre*. São Paulo: Editora Schwartz, 2000.

PENROSE, Roger. *Ciclos del tiempo: una extraordinaria nueva visión del universo*. Barcelona: Debolsillo, 2010.

PENROSE, Roger. *The emperor"s new mind*. Nova York: Oxford University Press, 1989.

PHILLPS, Tom. *Humanos*. Rio de Janeiro: Editora Best Seller, 2018.

POPPER, Karl. *The logic of scientific discovery*. Nova York: Harper and Row, 1968.

PRIGOGINE, Ilya. *From being to becoming: time and complexity in the physical sciences*. San Francisco: Freeman, 1980.

PRIGOGINE, Ilya; STENGERS, Isabele. *Entre le temps et l'eternité*. Paris: Zayard, 1988.

PRIMACK, Joel R.; ABRAMS, Nancy Ellen. *The new universe and the human future: how a shared cosmology could transform the world*. New Haven; Londres: Yale University Press, 2011.

PRIMACK, Joel R.; ABRAMS, Nancy Ellen. *The view from the center of the universe: discovering our extraordinary place in the cosmos*. Nova York: Riverhead, 2006.

RAUP, M. David. *Extinction*. Oxford: Oxford University Press, 1993.

REES, Martin. *Before the begining: our universe and others*. Massachusetts: Addison & Wesley, 1997.

REES, Martin. *Hora final*. São Paulo: Cia. das Letras, 2005.

RIDEAU, Émile. *O pensamento de Teilhard de Chardin*. Lisboa: Livraria Duas Cidades, 1965.

RIDLEY, Matt. *El optimista racional: tiene límites la capacidad de progreso de la especie humana?* Madrid: Santillana, 2011.225

RIDLEY, Matt. *The origin of virtue*. Londres: Viking, 1996.

SACHS, J. L. "The evolution of cooperation", *The Quarterly Review of Biology*, 79: 135-160, 2004.

SAGAN, Carl. *Pálido ponto azul: uma visão do futuro da humanidade*. São Paulo: Cia. das Letras, 1996.

SAHTOURIS, Elisabet. *A dança da terra: sistemas vivos em evolução, uma nova visão da biologia*. Rio de Janeiro: Rosa dos Tempos, 1998.

SCHÖPKE, Regina. *Matéria em movimento: a ilusão do tempo e o eterno retorno*. São Paulo: Martins Fontes, 2009.

SCHRÖDINGER, Erwin. *What is life?: the physical aspect of the living cell*. Nova York: Cambridge University Press, 1946.

SCHWAB, Klaus. *A Quarta Revolução Industrial*. São Paulo: Edipro, 2017.

SERRES, Michel. *Hominescências: o começo de uma outra humanidade*. Rio de Janeiro: Bertrand Brasil, 2003.

SILK, Joseph. *The Big Bang*. San Francisco: W. H. Freeman and Co., 1980.

SIMPSON, G. C. *The view of life: the world of an evolutionist*. Nova York: Harcour, Brace and World, 1963.

SING, Simon. *Big Bang*. Rio de Janeiro: Record, 2006.

SOROS, Georg. *A crise do capitalismo*. Rio de Janeiro: Campus, 1988.

SWIMME, Brian. *O coração oculto do cosmo: a humanidade e a nova história*. São Paulo: Cultrix, 1999.

SWIMME, Brian; BERRY, Thomas. *The universe story*. Nova York: Harper Collins Publishers, 1992.

SZAMOSI, Géza. *Tempo & Espaço: as dimensões gêmeas*. Rio de Janeiro: Zahar, 1988.

TYSON, Neil de Grasse. *Origins*. Nova Iorque: W.W. Norton & Company, 2004.

UCHÔA, Cleofas. *Renovação genética ou extinção?* Rio de Janeiro: Uniletras, 2001.

UCHÔA, Cleofas. *Um Olhar para o Universo*. Rio de Janeiro: Editora Vermelho Marinho, 2013.

UCHOA, João Calvanti Neto. *Democracia Um Mito*. Rio de Janeiro: Ibis, 2016.

VAN DOREN, Charles. *Uma breve história do conhecimento*. Rio de Janeiro: Casa da Palavra, 2012.

VARELA, Francisco. *El fenómeno de la vida*. Santiago: Dolmen Ediciones, 2000.

WATSON, James D. *DNA: o segredo da vida*. São Paulo: Cia das Letras, 2005.

WECK, Carol; SILK, Joan; SKYRMS, Brian; SPELKE, Elizabeth; TOMASELLO, Michael. *¿Por qué cooperamos?* Buenos Aires: Katz Editores, 2010.

WEINBERG, Steven. *Dreams of a final theory*. Nova York: Phanteon, 1992.

WEINBERG, Steven. *The first three minutes: a modern view of the origin of the universe*. Nova York: Basic Books, 1993.

WHELLER, J. A. *Frontiers of time*. Amsterdan: North Holland, 1979.

WILSON, Edward O. *A conquista social da terra*. São Paulo: Cia das Letras, 2012.

WILSON, Edward O. *A criação: como salvar a vida na terra*. São Paulo: Cia das Letras, 2008.

WILSON, Edward O. *Consiliência: a unidade do conhecimento*. Rio de Janeiro: Campus, 1999.

WILSON, Edward O. *On human nature*. Cambridge: Harvard University Press, 1978.

WILSON, Edward O. *Sociobiology: the new synthesis*. Cambridge: Harvard University Press, 1975.

WITROW, G. J. *O que é o tempo?* Rio de Janeiro: Zahar, 2005.

WITROW, G. J. *O tempo na história: concepções do tempo da pré-história aos nossos dias*. Rio de Janeiro: Zahar, 1993.

WRIGHT, Robert. *A evolução de Deus*. Rio de Janeiro: Record, 2012.

WRIGHT, Robert. *Não zero: a lógica do destino humano*. Rio de Janeiro: Campus, 2000.

WRIGHT, Robert. *The moral animal: evolutionary psychology and everyday life*. Nova York: Phanteon, 1994.

APRESENTAÇÃO DO AUTOR

Cleofas Uchôa cursou a Escola Naval, graduou-se em engenharia naval na Universidade de São Paulo (USP) e obteve o grau de "mestre em ciências" e o de "Naval Engineer" no Massachusetts Institute of Technology (MIT-USA). Lecionou no curso de engenharia eletrônica da PUC-Rio; foi professor de "Radioastronomia", "Sistemas Lineares" e "Teoria Estatística de Comunicação", na Faculdade de Tecnologia da Universidade de Brasília, instituição na qual também atuou como diretor. Foi vice-presidente da Universidade Estácio de Sá; presidente da Companhia de Telecomunicações de Brasília, da Embratel, da Iridium Sud América e da Associação Brasileira de Telecomunicações. Membro da Academia de Letras de Armação dos Búzios e da Academia de Letras de Cabo Frio. Fundou o Observatório Astronômico de Búzios, um dos maiores do Brasil.

OBRAS DO AUTOR

Memórias de Um Rebocador de Alto Mar (1959, Gráfica Universo)

Constituição – Revisão Evolutiva (1954, Editora Rio)

Máscaras do Universo (1999, Revista Telebrasil)

Renovação genética ou extinção (2001, Uniletras Editora Ltda.)

Autobiografia – Coleção Gente (2004, Editora Rio)

Um Olhar para o Universo (2013, Editora Vermelho Marinho)

CONTATO PARA PALESTRAS
E SESSÃO DE AUTOGRÁFOS:

cleofas.uchoa@gmail.com